D1536472

RAMTHA

LES ENVAHISSEURS
DE L'ESPACE

*Exposé
sur la conscience extranéenne,
l'intelligence interdimensionnelle
et
la transformation de la matière*

L'édition originale de cet ouvrage a été réalisée en 1991
par Indelible Ink Publishing, sous le titre:
«UFOs and the Nature of Reality
Understanding Alien Consciousness and Interdimensional Mind»
ISBN: 0-9627267-4-5   (édité par Judy Pope Koteen)

Exclusivité de la version française:

Louise Courteau Éditrice inc.
7431 rue Saint-Denis
Montréal, Québec, Canada
H2R 2E5

Typographie: Publications Quali-Serv

Traduit de l'américain par Diane Déziel

ISBN: 2-89239-148-2

Dépôt légal: Quatrième trimestre 1992
Biblothèque Nationale du Québec
Bibliothèque Nationale du Canada
Bibliothèque Nationale de Paris
Library of Congress, Washington, D.C.

Les envahisseurs de l'espace

RAMTHA

Louise Courteau
ÉDITRICE

Extra-terrestre (n. et adj.):
Terme générique désignant les habitants d'autres planètes que la Terre. Étant donné l'origine indéterminée de certaines espèces, il s'est avéré utile de créer des néologismes dotés d'un sens plus général comme le vocable anglais «alien», d'autant plus que le terme «extra-terrestre» risque de s'appliquer à contresens à des entités établies à l'intérieur de la Terre et qu'il conviendrait alors d'appeler plutôt «intra-terrestres».

Extranéen (n. et adj.):
Néologisme créé à partir du latin «extraneus» (étranger) et désignant tout être ou toute réalité qui n'appartient pas à la culture humaine.

Aliénigène (n. et adj.):
Néologisme créé à partir du latin «alienigenus» (qui appartient à une autre race) et désignant tout être dont l'origine et le développement ne correspondent pas à ceux des races évolutionnaires de l'humanité terrestre.

TABLE DES MATIÈRES

PARTIE I

LES ENVAHISSEURS DE L'ESPACE

PARTIE II

L'INTELLIGENCE INTERDIMENSIONNELLE OU UN CONTACT À YUCCA VALLEY

*Si vous pensez que, parmi les dix milliards
de soleils composant la Voie lactée,
ce misérable grain de poussière,
cette émeraude avec son soleil jaune
dans le coin le plus reculé de la pensée de Dieu,
est la seule planète où règne la vie,
vous vous mettez le doigt dans l'oeil!*

NOTE DE L'ÉDITEUR

Aux temps antiques, une «voix» s'adressa au peuple, lui transmettant une information que nous vénérons encore de nos jours, parce qu'on nous l'a toujours dit. La plupart des religions, ainsi que le sort des hommes et des empires, ont reposé sur l'interprétation d'anciennes écritures qui furent dictées par cette voix.

Comment cette «voix» est-elle venue ? Si elle vous parlait aujourd'hui, croiriez-vous qu'elle vient de Dieu ? L'écouteriez-vous ? Et cette voix aurait-elle moins d'importance aujourd'hui qu'elle en avait il y a 2 000 ans ? Je n'essaie pas de discréditer le message antique. J'essaie seulement de vous encourager à l'apprécier à sa juste valeur. Tout est relatif.

Je vous recommande la lecture de ce livre, à cause de l'état actuel de la conscience sociale. Cette mentalité cloisonnée qui tente de dominer par la peur et le dogme m'inquiète. Je suis convaincue que les gens savent reconnaître et écouter la vérité quand elle leur est présentée.

Si vous avez déjà lu sur le sujet, ce livre vous permettra d'élargir vos connaissances sur la conscience extranéenne; il corroborera ce que vous avez retenu de vos lectures antérieures et répondra à plusieurs de vos questions.

Si vous en êtes à votre première lecture dans le domaine, je crois que vous n'en resterez pas là, car ce livre suscitera autant de questions que de réponses. Il vous fera entreprendre un voyage fantastique vous menant aux sources de la vérité et il vous révélera Dieu et la création sous une nouvelle facette.

La partie I est tirée d'une session intitulée «Les envahisseurs de l'espace». Quant à la partie II, elle est extraite d'une session qui a pour titre : «L'intelligence interdimensionnelle ou un contact à Yucca Valley».

Le chapitre final, où il est question de Conscience et d'Énergie, fait référence à une technique de respiration qu'enseigne Ramtha. Il n'est pas possible de l'expliquer dans un livre; les mots sont bien impuissants à décrire cette technique. Mais afin d'assimiler le mieux possible le contenu de ce volume, il importe de comprendre que la pensée crée la réalité, en y appliquant sa conscience et son énergie. J'ai donc inclus quelques commentaires relatifs à cette technique, sans m'attarder à la décrire.

Judy Pope Koteen

AVANT-PROPOS

En 1977, Ramtha apparut à J.Z. Knight dans l'entrée de sa cuisine, à Tacoma, dans l'État de Washington (É.-U.). Depuis, rien n'est plus pareil.

Ramtha est une énigme; c'est ainsi qu'il se décrit. À n'en pas douter, au fur et à mesure que la société évoluera face au phénomène du «channeling» et que plus de gens commenceront à examiner attentivement le message transmis, Ramtha sera considéré comme l'un des plus éloquents communicateurs et enseignants de tous les temps.

Il vécut sur terre il y a 35 000 ans. Durant la majeure partie de cette vie, il fut un conquérant barbare jusqu'à ce qu'il soit blessé au cours d'une bataille. Il se retira alors sur une montagne pour contempler la vie, passant sept ans sur un austère rocher à observer le Soleil et la Lune, la vie et la mort, enfin tout ce qui semble immuable. C'est en être éclairé qu'il quitta ce rocher pour retourner vers son armée qui l'attendait, car il avait compris l'illusion qu'on appelle la vie. Il demeura avec son peuple et lui enseigna pendant de nombreuses années pour finalement faire son ascension devant une multitude. Il est «le Ram» autour duquel le peuple hindou a édifié sa religion.

Il s'identifie comme faisant partie d'une fraternité d'êtres aimant énormément l'Humanité. Il vient nous transmettre l'information qui nous aidera à faire les choix nécessaires à l'acquisition de notre propre souveraineté durant les jours à venir. Son message en est un qui rend tout possible et procure un sentiment de puissance.

Alors qu'on lui demandait ce qu'il dirait s'il pouvait communiquer au monde entier un message unique et de la plus haute importance, il répliqua: «Je vous dirais que vous êtes Dieu et que vous êtes grandement aimés.»

Les volumes contenant les paroles de Ramtha sont créés à partir de réunions appelées sessions intensives et retraites durant lesquelles il improvise son discours*. Ce volume combine l'enseignement d'une session intensive et d'une retraite traitant spécifiquement des OVNIS et de l'intelligence interdimensionnelle.

*N.D.É. : Ce qui explique le ton et la répétition de certains passages ou expressions.

INTRODUCTION

Vous n'avez pas choisi ce livre pour enrichir vos connaissances sur la conscience sociale de «ce monde», mais pour comprendre davantage la conscience extranéenne. Vous espérez faire la lumière sur le phénomène des «envahisseurs». Quelques-uns se demandent même secrètement s'ils n'ont pas déjà subi leur ingérence.

Disons-le tout de suite : parmi ceux qui lisent ce livre, plusieurs ont déjà reçu la visite de ces hôtes insolites.

Je ne peux pas tout vous révéler maintenant parce que vous n'êtes pas prêts à l'entendre. Certains d'entre vous ont une conscience peu évoluée, immature et, par conséquent, frôlent sans cesse l'hystérie. Ceux-là sont enclins au fanatisme; ils sont très impressionnables, excessivement nerveux et émotifs. Vous qui lisez ces lignes et correspondez à cette catégorie ne serez pas aptes à tout connaître en ce qui concerne ces entités, leurs origines et les mécanismes d'une conscience essentiellement différente de la vôtre.

Il en est d'autres, ceux-là plus calmes, qui surveillent le mouvement des étoiles dans le ciel. Toutefois, ils présentent aussi un problème de communication parce qu'ils ont édifié tout un dogme autour du contact extranéen.

Voici comment cela fonctionne. Vous qui correspondez à cette catégorie pensez qu'un contact avec ces aliénigènes vous distinguera des autres. Vous leur vouez un culte. Vous pensez que l'endroit où ils vont est plus beau que celui où vous êtes. Vous voulez qu'ils vous sortent du dilemme dans lequel vous vous trouvez, dilemme que vous avez évidemment vous-mêmes engendré. (Personne d'autre que vous ne crée votre réalité !)

Étant donné votre tendance à l'idolâtrie, je dois doser mes paroles concernant les coutumes de certains d'entre eux car vous en feriez toute une religion, et ce n'est pas le but que vise la transmission de cette information.

La dernière catégorie — mais non la moindre — comprend une minorité d'astucieux. Si vous êtes de ceux-là, vous êtes très concentrés sur votre propre pouvoir. Vous découvrez votre propre conscience. Vous trouvez votre délivrance. Il existe chez vous un équilibre. Vous n'êtes ni hystériques ni dogmatiques. Vous ne percevez pas ces aliénigènes — vos frères — comme vous étant supérieurs. Vous êtes de ceux qui ont eu un contact, simplement à cause de votre constance.

Ces entités, ces aliénigènes comme vous les appelez, n'ont que faire des hystériques. Ils s'intéressent aux êtres humains ingénieux, capables de connaissance et dotés d'une grande force intérieure; des êtres humains qui ont l'intelligence mystique du spirituel, empreints d'une curiosité naturelle pour la science et un profond désir de savoir; des êtres humains pour qui *le savoir* fait partie intégrante de la destinée. C'est cette sorte de gens qui retient l'attention des aliénigènes.

Il est possible que vous apparteniez à un autre groupe d'êtres humains. Ceux-là — triste mention — ont contribué à créer le dogme et l'amertume au cours de l'histoire. Mais leur plan va échouer, comme ce fut le cas pour la plupart des plans humains durant le long règne de la tyrannie.

C'est avec hésitation que je vous livre cette information au sujet de mes frères. Puisque chacun des groupes mentionnés plus haut est représenté ici, je m'adresserai à vous avec tact, conscient du mélange des différentes énergies des lecteurs. Je veux vous donner suffisamment de renseignements et de connaissances pour que vous n'erriez pas dans la peur et l'ignorance. Pour ceux d'entre vous qui sont réceptifs à la vérité, un contact a déjà été prévu. Vous vous en êtes rendus dignes et votre attitude repose, non sur des semblants, mais sur les bases solides de votre individualité.

J'ai beaucoup hésité à autoriser l'impression de ce livre. Car ce dernier ne sera pas lu par un groupe homogène mais par tout un éventail de gens, à différents degrés de compréhension. Ceci dit, comprenez bien que je ne pourrai pas tout vous dire, car vous n'y êtes pas prêts. Et ce n'est pas tout le monde qui fera l'expérience d'un contact. La plupart n'en sont pas dignes, en grande partie à cause du manque d'estime d'eux-mêmes et pour avoir omis de s'y préparer intérieurement.

Je vous donnerai de nombreux renseignements qui, joints à ce qui vient de vous être communiqué, vous permettront de comprendre. Si en scrutant le ciel, vous y apercevez un jour quelque chose, ce spectacle ne sera plus un sujet de trépidation et d'idolâtrie et vous ne sentirez plus le besoin d'être privilégiés. Quand votre attitude sera solidement établie sur l'unique désir de partage, les portes de la communication s'ouvriront pour vous.

La connaissance qui vous sera bientôt révélée vous sera très précieuse dans l'avenir. Je suis un observateur d'un niveau supérieur au vôtre. Je sais qui sont ces entités, pourquoi elles sont venues ici et continuent d'y venir. Et elles savent qui je suis. Je travaille en harmonie avec elles.

En ce qui a trait à leur personnalité et à leur structure émotionnelle, ces entités diffèrent énormément de vous. Et que dire des différences strictement physiques. Plusieurs d'entre vous, s'il leur était donné de voir la couleur et la texture de leur peau et leur forme corporelle, les trouveraient plutôt répugnantes.

La beauté est une essence purement invisible; je me plais à le répéter. Elle n'a rien à voir avec la peau. Celle-ci sert tout juste de véhicule génétique pour se protéger des éléments.

Je vous parlerai surtout des Grands Ouvriers.

L'infinité de la galaxie renferme certainement autant de souches et de fraternités d'entités qu'elle renferme de mondes. Votre Voie lactée, comme vous l'appelez, contient dix milliards de soleils. De ceux-ci, combien forment des univers ? Combien ont leur propre système planétaire ? D'innombrables ! Vous n'êtes pas seuls, vous savez. Chaque planète a une race distincte et, bien qu'ayant chacune leur propre processus d'évolution, ces races sont toutes aussi différentes et magnifiques les unes que les autres.

J'ai pensé que je me devais de vous dire pourquoi tout ne peut vous être révélé. Quant à ceux qui en sont dignes, ils vont être merveilleusement surpris. Ayant déjà pris part à un événement semblable, ils réaliseront davantage le rôle qu'ils ont joué, au fur et à mesure qu'ils liront ces lignes. (Quand on parle du petit nombre des élus, c'est d'eux qu'il est question !)

Donc, asseyez-vous confortablement et lisez. Tout en parcourant tranquillement ce livre et en digérant son contenu, la connaissance viendra. Et selon la patience et l'attention que vous y mettrez, de grandes lumières vous parviendront de mon niveau de conscience. Cette compréhension vous libérera de votre pieuse ignorance et des peurs qui en sont issues. Elle vous permettra de reconquérir votre pouvoir et d'y puiser votre force, peu importe ce qui se déroule au-dessus de vos têtes. Croyez-moi, il se passera énormément d'action !

Le but de ce livre est de semer la connaissance. Il vous suffit d'en tourner les pages et de lire. Si vous êtes fatigués, mettez-le de côté pour un moment, tout en réfléchissant à ce que vous avez lu. Lorsque votre cerveau se sent d'attaque, reprenez votre lecture.

Mon souhait est que vous compreniez !

*Il est tout à votre avantage de savoir
que, vous aussi, venez des étoiles,
issus que vous êtes de dieux fantastiques,
dont la lumière et la beauté sont
incommensurables.*

CHAPITRE 1

Interprétation linéaire
d'une connaissance hors du temps

Avant de commencer, disons qu'il existe un problème fondamental de communication.

Cette information, je vais devoir vous la donner linéairement, partant du point A jusqu'au point B. Je dois débuter à un endroit et, de là, progresser. Votre esprit — ou conscience — opère et a toujours opéré de la sorte. Vous venez du passé et vous vous dirigez vers le futur. C'est ainsi que vous comprenez les choses, comme le processus du *devenir*. Dans votre esprit, vous *devenez* quelque chose; il vous est difficile de concevoir que vous êtes déjà.

Vous livrer cette connaissance représente un sérieux dilemme. Car elle n'est pas vraiment linéaire; elle vient d'un «maintenant» absolu. Il est plutôt difficile de faire référence à ces entités dont je parlerai comme ayant été créées dans le passé avec une intention future. Voyez-vous, elles n'appartiennent pas au temps et, par conséquent, leur connaissance ne vient ni du passé ni du futur. Quant à vous, sans votre perception linéaire, vous auriez du mal à comprendre ce que je pourrais vous en dire. C'est pourquoi j'essaierai de traiter de ce sujet «linéairement». Je parlerai donc de l'existence de l'armada principale en termes de passé, de présent et de futur.

Les trois groupes principaux

Il existe des créatures interstellaires qui exploitent la lumière, des créatures interdimensionnelles, et ces entités du «ici et maintenant» et leurs vaisseaux.

1. Il existe, dans un autre temps, sur une autre fréquence, un vaisseau interdimensionnel qui à l'occasion se matérialise subitement sur votre

planète. Dans cette dimension où tout est centré sur le temps, la distance, l'espace et l'aspect linéaire, ce vaisseau est nécessaire pour franchir les distances. Ces entités interstellaires viennent des Sept Soeurs qu'on appelle les Pléiades.

2. De la galaxie d'Andromède viennent des entités d'une puissance encore supérieure. Ce sont aussi des entités interstellaires voyageant dans la lumière, bien que leurs vaisseaux soient capables de voyager dans l'hyperlumière. Ce concept dépasse tout ce que la physique peut vous apprendre à propos de la lumière. Elles peuvent, par conséquent, partir d'une constellation d'étoiles leur étant tout à fait étrangères et être ici en moins de quelques instants.

3. Il existe aussi un groupe d'entités qui vivent ici. Elles habitent tout simplement l'intérieur de votre Terre. Votre gouvernement connaît très bien leur existence.

Chacune de ces trois différentes catégories d'entités a une conscience et une intelligence interdimensionnelles qui lui sont propres. Et chacune a une différente raison d'être.

Les habitants des Pléiades et d'Andromède

Nous parlerons surtout d'un groupe en provenance des Pléiades et de la galaxie d'Andromède situées au-delà de l'étoile Polaire.

Les habitants de la galaxie d'Andromède sont à la fois interstellaires et interdimensionnels. Ils sont d'une grande beauté, possèdent des membres agiles et un corps svelte tout en lumière. Ils font entre 2,44 et 3,05 mètres de hauteur, selon vos mesures. Ce sont des géants.

Dans la mythologie, on les appelle les dieux ailés. Ce sont mes semblables.

Les aliments ne sont pas nécessaires à leur subsistance. Biologiquement parlant, vous êtes on ne peut plus différents. Votre structure génétique est alimentée par une énergie négative/positive polarisée créant les formes de vie. La leur est gouvernée par un magnétisme dont la lumière est la source. Ces entités ont une enveloppe corporelle magnétisée dans la lumière.

Ils ne mangent pas. Ils acquièrent de la connaissance. Leur nourriture est le prana, un terme ancien qui signifie énergie. En d'autres mots, ce sont des mangeurs d'énergie. Ils possèdent une tête énorme mais sont d'une exquise beauté.

À la suite d'apparitions, on leur attribua par le passé le nom d'anges. Gabriel et Michel sont issus de cette race. Ces entités travaillent tout particulièrement avec le Ram. Elles personnifient la Lumière Blanche. Leur vaisseau dégage une lumière plus brillante que celle de dix mille soleils. Ces entités pénètrent la pensée; elles sont capables de vous rejoindre en un instant par la pensée. Elles ont la faculté de se tenir stationnaires à l'intérieur d'un large objet dans leur dimension et, simultanément, de vous surveiller d'après vos vibrations. Car où qu'elles soient, elles vous observent.

Pourquoi cette souche est-elle digne de mention? Parce que ce sont les membres de cette souche qui repeuplèrent votre planète, après chaque destruction. Elle en a connu plus d'une, vous savez. Ce sont eux qui la refécondèrent après qu'une civilisation irréfléchie eût empoisonné l'atmosphère par l'usage de l'énergie atomique. Ils intervinrent aussi auprès d'une autre civilisation ayant connu un effondrement de conscience, conséquence de sa décadence. Ce sont eux qui refécondèrent les gènes de la race que vous contemplez maintenant, votre race.

Donc, non seulement vos gènes — vos gènes et non votre esprit — incluent les miens, mais aussi ceux des dieux. Vous êtes tous littéralement les descendants de Gabriel, de Michel et du Ram. En apparence, vous ressemblez davantage à ces entités de la galaxie d'Andromède et des mondes interdimensionnels qu'à toute autre civilisation peuplant l'éternité. Nous parlerons plus tard d'autres entités auxquelles vous ne ressemblez pas du tout.

Pourquoi descendez-vous de cette souche et de la Maison du Ram ? Parce que, de préférence aux autres, ces entités sont plus en harmonie avec les composantes physiques originales de la génétique humaine. Quand je vous ai fait le récit de la création, j'ai parlé uniquement de celle de votre planète, la Terre ; j'ai omis la création des autres galaxies et civilisations qui ont vécu des milliards d'années avant la Terre. Je vous ai donné une description linéaire de l'homme et de la femme, Duval/Deborah, Deborah/Duval. Je vous ai parlé de la descendance de l'être humain dans cette atmosphère, dans cette galaxie, sur ce misérable petit grain de poussière avec son soleil jaune, niché dans un coin reculé de la Voie lactée. De la génétique de ceux qui ont vécu avant vous, nulle mention n'a été faite.

Au commencement, sur ce plan, vous aviez tous l'apparence des singes. Vous étiez poilus, recourbés, aviez les jambes arquées et sentiez mauvais ! C'était le commencement de l'être humain, du dieu faisant l'expérience de la réalité dans cette dimension, sur ce plan. C'était le début de l'évolution, à ce niveau d'entendement.

Au cours de l'évolution, les dieux — ceux qui vivent en d'autres dimensions — fécondèrent les humains, faisant germer en eux l'excellence, travaillant sans cesse à perfectionner l'aspect physique et à améliorer les facultés nécessaires à l'expérience humaine. Pour cette raison bien précise, à l'instar de ces dieux, vous vous ressemblez sans pour autant être identiques.

Si ces gardiens — ces anges si vous préférez — portent un tel titre, ce n'est pas à cause de leur candide ignorance mais parce que ce sont les Seigneurs des Armées. Outre leur pouvoir, leur intelligence, leur connaissance et leur longévité, ils ont tout ce qui est nécessaire à la multiplication de l'espèce humaine et à l'entretien de sa continuité.

Ce sont des anges, oui. Mais tout comme vous, ils possèdent une âme hautement évoluée, et leur esprit n'est pas lié à une *image*. Voilà pourquoi ils sont éclairés.

Évoluent-ils encore ? Absolument ! Mais ils n'opèrent pas sur un plan linéaire comme vous. Ils s'ingénient plutôt à découvrir l'âme dans ses replis les plus secrets et à vivre ces découvertes.

Il n'y a pas de mots pour décrire leur incroyable beauté dont vous êtes le reflet. Ils ont pris soin de vous parce que vous êtes véritablement leurs frères et soeurs. Vous provenez tous de la même source. Tous, vous avez été créés dans la lumière. C'est un bien commun, c'est le lien qui vous unit. L'unique différence vient de ce que leur évolution s'est rapidement transformée en involution. Au cours de cette involution, ils sont partis du septième niveau d'entendement pour se rendre au premier; puis, à toute allure, ils ont parcouru le chemin en sens inverse. Selon votre propre compréhension, ils se situeraient en quelque sorte au septième niveau.

Ce sont mes frères et aussi les vôtres, de par le lien génétique qui vous unit. Ils se sont faits vos protecteurs au cours des civilisations. Ils ont pu se faufiler dans la mythologie qui survit encore, grâce à certaines civilisations. En fait, leurs allées et venues sont loin d'être restées inaperçues.

Ils ont quelque chose à voir dans la fuite des enfants d'Israël hors d'Égypte. Ils ont aidé Bouddha à escalader son mur, ils ont aidé Mahomet et Gabriel à fuir. Ils sont responsables de l'évolution humaine et veillent à son maintien.

Rares sont ceux qui les ont vus; mais dans les temps à venir, on les verra. Et peu nombreux sont ceux qui, en voyant leur visage, n'en seront pas éternellement affectés. À vrai dire, peu nombreux sont ceux qui pourraient les regarder, point !

Pourquoi vous ont-ils en quelque sorte protégés dans votre propre évolution ? Parce que le cours de cette évolution a été près de s'interrompre à certains moments, sous l'action de votre conscience. La puissance de cette dernière est telle qu'elle est capable de s'autodétruire. À maintes reprises, ils sont intervenus pour vous couper du cordon ombilical, vous écarter de votre soif du pouvoir, vous éloigner de votre tyrannie et vous arracher à votre détermination de rester dans l'ignorance ! Ils vous ont plus d'une fois retenus — stupides que vous êtes ! — de vous anéantir vous-mêmes. Ils vous ont empêchés de détruire cette terre, organisme vivant et émeraude de votre univers.

Pourquoi ? Parce qu'ils vous aiment et que votre corps abrite un esprit et une âme incomparables, constituant le véritable «vous». Votre esprit vous lie à l'éternité et l'amour unificateur vous pousse à aller de l'avant. C'est ce qui les motive à intervenir. Que de civilisations sont passées à l'histoire. Plusieurs d'entre elles ont vécu ici; elles étaient pour la plupart beaucoup plus avancées que la vôtre. Mais la décadence, le pouvoir, la libération de l'atome et la dissolution de la matière les ont conduites à leur perte. Les seuls vestiges ou souvenirs qu'il en reste jonchent maintenant le fond de l'océan ou se métamorphosent graduellement en magma.

Ces malheureux incidents auraient-ils épargné des vies? N'êtes-vous pas les descendants des quelques survivants qui sont restés? Peut-on faire disparaître toute une civilisation et, en même temps, en faire renaître une autre?

Vous devez un tel exploit à ces grands frères et à ces grandes soeurs qui ont assuré votre progression et votre conservation. Ils sont des protecteurs et des gardiens de longue date. Vous leur devez les vertes explosions stratosphériques neutralisant les poisons que votre atmosphère absorbe continuellement. N'eût été de leur intervention, cette terre croupirait depuis longtemps sous un nuage noir et plus aucune vie n'y serait possible. Vous continuez à polluer l'air. Et quel discours vous tenez-vous? «Les poisons vont s'évaporer. Ils vont s'en aller quelque part, peut-être derrière le Soleil.» Ils ne vont nulle part! Ils enveloppent cette vie.

À ces grands frères et grandes soeurs, nous devons l'existence de quelques humains éminents. Ils furent en partie responsables de l'établissement des anciennes écoles de sagesse; ils en furent les enseignants. Ils enlevèrent, ravirent certains individus, ouvrirent leur esprit et leur donnèrent les eaux de la vie. Puis ils les retournèrent à la civilisation afin qu'ils vous enseignent la vérité.

Vous me demanderez: «Pourquoi ne nous disent-ils pas simplement ce que nous devons savoir et nous forcent-ils pas au changement?»

C'est à ce moment que le problème linéaire prend toute sa dimension. Que ne puis-je vous extirper tous vos cerveaux, les jeter à l'eau, chauffer celle-ci au point d'ébullition et en consumer l'ignorance? Que ne puis-je tout simplement percer un trou dans vos têtes et y envoyer un vent pour tout purifier? Que ne puis-je vous brancher, tourner le bouton et vous faire jouer l'intelligence ? Que ne puis-je simplement faire cela pour vous ?

Cela vous éviterait des ennuis et à moi, la frustration. Cette grande loi qu'est la liberté d'expression ou libre arbitre en est la cause.

Vous êtes frères et devez évoluer selon votre bon plaisir : ce précepte est depuis longtemps compris et respecté. L'évolution du libre arbitre doit se faire au rythme de chacun. Voilà pourquoi vos frères de l'espace restent à distance, cachés dans les nuages. Ils vous envoient les germes d'une vérité inspiratrice qui vous feront aspirer à la grandeur et commencer à penser en individu.

Cela vous permettra de vous élever jusqu'à leur niveau. Vous pourrez ainsi communiquer avec eux.

S'ils devaient apparaître maintenant et vous envahir, ils auraient devant eux un groupe d'ignorants, la face prosternée contre terre, croyant superstitieusement à un Dieu ressuscité venu sauver le monde. D'autres partiraient en peur et se réfugieraient dans les montagnes. Ce n'est pas ainsi que s'obtient la connaissance; il en va de même de l'évolution.

Face à la splendeur, les superstitieux et les fatalistes perdent toute faculté de penser. Éventuellement, ils grandiront eux aussi; mais pour l'instant, ils ne sont rien de moins que les esclaves du dogme et de la peur !

De quoi ont-ils vraiment peur ? D'être bouillis et servis en repas ? Apprêtés de quelle façon ? En pilaf humain ou la bouche farcie de citrouille ? Ces perceptions bizarres et invraisemblables sont précisément la raison pour laquelle la communication globale n'est pas encore possible. Cette tournure d'esprit, cette façon irrationnelle de penser est la cause de leur constante intervention. Elle était nécessaire. Au cours de votre histoire, les membres de cet illustre groupe ont copulé avec vos femmes et vos hommes. Et leurs descendants ont engendré des êtres remarquables. Vous êtes ces descendants.

Chacun d'entre vous est tout naturellement porté à regarder le ciel lorsqu'il fait nuit. Ce désir est d'ordre génétique. L'esprit ne veut rien d'autre que Dieu. Le corps souhaite retrouver son arbre génétique.

Au fil du temps, des civilisations furent détruites; les âmes et les esprits se réincarnèrent. Mes semblables engendrèrent des descendants et ce sont eux qui survécurent. Savez-vous qui ils étaient ? Ceux à qui l'on conseilla de fuir vers les montagnes et dans les cavernes. Ignorez-vous que tous vos gènes portent l'empreinte de ces survivants ? Afin de rehausser la dignité, les qualités morales et spirituelles et afin d'éclairer les esprits, vous avez copulé avec ces créatures et, par le fait même, avez engendré la magnificence. Celle-ci assura un mouvement progressif, une destinée et une évolution naturelles. C'est grâce à la progression de l'évolution que les écoles anciennes pourront un jour être rétablies et les autoroutes du ciel, réouvertes comme elles l'étaient auparavant.

Les grandes pyramides ravagées — y compris celle qui fut préservée du pillage — furent les temples naturels des écoles anciennes, au temps où les autoroutes de lumière donnaient accès aux dimensions. Ces écoles comptaient des initiés de choix. Nul besoin de mentionner la contribution qu'apportèrent à leur destruction la superstition, le mythe, la religion et le dogme au cours des siècles. Ces écoles d'illumination furent détruites afin de maintenir le monde dans la peur.

Mais sachez ceci : le jour est proche, très proche, où ces écoles ouvriront de nouveau. On pourra alors pulvériser le temps, la distance et l'espace. Quand vous aurez pulvérisé les dimensions, mes semblables pourront à nouveau entrer en contact avec vous. Dans cette attente, vous devez mériter le droit de demeurer vivants sur ce plan.

Cela n'a rien à voir avec l'idolâtrie hystérique, le dogmatisme, les prostrations, baiser les pieds de votre âme soeur et espérer en recevoir des réponses. (Écoutez mesdames, parce que vous n'arrivez pas à trouver un homme convenable, n'allez pas penser qu'il se trouve dans la galaxie d'Andromède. Et que je ne vous entende pas me demander si Gabriel est votre âme soeur, du fait que vous sentez un lien étroit avec lui. N'y songez même pas ! Mon Dieu ! Nous sommes tous unis ! Un peu de céleste raillerie ici !)

Je veux dire que vous serez choisis quand vous en aurez acquis le droit. Certains d'entre vous ont déjà été choisis; d'autres ont déjà une bonne idée de leur identité. Le choix des descendants est intentionnel, effectué en vue de l'illumination. Et celle-ci n'a rien à voir avec l'idée de faire une balade quelque part dans un vaisseau. La balade n'est rien en soi, c'est un effet secondaire au mérite. L'illumination n'a rien à voir avec le fait de s'asseoir et de manger en compagnie d'un aliénigène. C'est un phénomène, un effet secondaire. Comprenez-vous ? Ils vous serviraient la vérité et vous resteriez là à attendre un plat de viande. Vous pensez différemment, vous savez.

Les descendants sont des gens remarquables, car ils ont la simplicité comme source. Ce qui veut dire que leur esprit possède à la fois la lucidité et la capacité pour le génie. Ceux qui sont choisis comme descendants sont naturellement simples. Plus leur simplicité est grande, plus le courage et la ténacité sont innés en eux. Dotés de ces deux qualités, ils peuvent vivre leur vérité en dépit des épreuves à traverser. Mes semblables choisiront les humbles pour faire partie de la prochaine civilisation, une civilisation supérieure. Ici, nous faisons référence à la supraconscience. Le choix des gens simples est d'autant plus facile qu'ils sont capables d'ouverture d'esprit, de croissance et de ce pouvoir puisé dans la conscience. Grâce à eux, peut-être nous sera-t-il possible de rétablir la communication, le partage et l'égalité.

Plus vous vous appliquerez à l'expansion de votre conscience, en apprenant à contrôler son énergie, plus vous serez en harmonie avec l'intelligence visible comme avec l'intelligence invisible. C'est le moyen d'acquérir le mérite.

À la suite d'un processus de sélection, des individus sont désignés par leurs frères du cosmos et deviennent les gardiens du temps. Ceux-ci veilleront à conserver la raison d'être et la valeur de l'être humain, afin que la vérité de Dieu, la lumière, sous tous ses aspects, puisse être préservée. La conservation de cette vérité permettra à toute civilisation d'atteindre le septième degré d'entendement de la conscience, son septième accomplissement dans l'évolution.

Chez les humains où règne la simplicité, la vérité coule comme une rivière; leur courage et leur force sont incomparables. Ils sont superbes et dignes des dieux, parce qu'ils sont dieux, tant au sens génétique qu'au sens spirituel.

Pour en revenir à ces entités, ce sont mes semblables et elles sont légion. Quand je leur parle, elles écoutent, car nous sommes unifiés en Dieu. Mon discours n'a rien de celui d'un roi s'adressant à une armée; c'est un échange d'un dieu superbe à un autre. Il existe entre nous une heureuse connivence. Elles savent qui je suis. Pour elles, l'invisible n'a aucun secret. Elles voient ce qui se passe autour de vous en ce moment, activité dont vous-mêmes n'êtes pas conscients.

Nous avons fait beaucoup au cours de votre histoire. Plusieurs d'entre vous le savent. D'autres s'en soucient comme de leur première chemise. Le souvenir de la vérité a été préservé jusqu'à maintenant. Je suis revenu ici, accompagné d'une légion, pour préserver la vérité, restaurer l'harmonie et l'égalité du Dieu/homme pour tous les temps à venir.

Lors d'une retraite, j'ai oint quelques élèves de mon école d'une huile qui coulait dans leurs yeux; j'en ai enduit la paume de leurs mains. Depuis, ils sont du nombre de mes semblables et sont rattachés à ma maison. Ils vivent dans ma conscience, qui est une conscience de préservation. Cet esprit de préservation vous vient d'ailleurs. En d'autres termes, il vient des dieux.

Si je vous ai rejoints et vous ai assujettis à cette lecture, c'est pour une bonne cause : la vérité. L'opportunité vous est donnée d'aller jusqu'au bout de votre évolution : je vous conduirai tout droit à votre demeure. Il vous sera donné de voir mes semblables dans toute leur beauté, de contempler leur lumière et leurs véhicules. C'est au programme. Ils ne sont intimidants que pour les ignorants.

Ils possèdent un énorme vaisseau surnommé vaisseau-mère. Il existe effectivement. La nuit, il passe inaperçu; le métal dont il est construit le rend invisible. Il semble de couleur noire. Pourtant, lorsqu'il passe devant la Lune, il obstrue toute une portion du ciel. Ce vaisseau abrite des dieux surnommés les dieux de haut niveau. Ce sont mes semblables.

Si ce vaisseau devait s'illuminer, il aurait l'intensité de dix mille soleils ! Le regarder vous serait impossible. Il est ici, dans votre stratosphère. Par son déplacement silencieux, il a survolé à votre insu presque tout votre pays. Votre gouvernement connaît sa présence. Ce vaisseau ne lui inspire pas confiance ! Il a à son bord des guerriers dépassant toute imagination et des dieux défiant tout concept de beauté. C'est un vaisseau légendaire. Il peut darder comme un scorpion depuis l'espace. En un instant, il serait capable d'engloutir un continent au fond de la mer. Par une seule décharge de lumière, il pourrait envoyer ce continent tourner en orbite et renverser complètement votre monde. En un instant !

Pensez-vous vraiment que vos chasseurs bombardiers pourraient quelque chose contre un vaisseau de cette envergure ?

C'est le vaisseau qui, d'un trait et sans effort, a fait disparaître Sodome et Gomorrhe de la surface de la terre. Et pourtant, ce puissant gardien appartient à mes semblables. Ses habitants sont des dieux.

Ils sont ici pour de multiples raisons. Il en est que vous ne pourrez pas connaître, parce que vous n'êtes pas encore prêts à les comprendre. Je peux cependant vous dire ceci : ils sont ici pour vous aider à voir et comprendre la vérité derrière tout ce qui s'en vient.

C'est le destin et vous êtes inaptes à le changer. Vous sauriez toute la vérité que vous n'y changeriez rien; vous laisseriez le destin s'accomplir parce qu'il le faut. Il a été conçu par un plan supérieur et vous, dont l'esprit linéaire fonctionne de A à Z ou de un à sept, n'auriez jamais choisi un tel destin. Vous en seriez incapables, chers lecteurs. Faute de ne pas avoir dépassé la peur, l'inquiétude, la douleur et le sentiment d'exclusivité que vous confère votre grand savoir, vous n'êtes pas éclairés.

Il est certains lecteurs avec qui je ne peux communiquer : ils savent tout ! Ils représentent la seule impossibilité dans cette galaxie ! Si le destin était laissé aux je-sais-tout, vous en souffririez tous énormément. Ils ignorent en quoi consiste l'évolution universelle. Ils n'ont aucune notion de ce que signifie votre destin. Ils ne peuvent concevoir les glorieuses ramifications que comporte potentiellement chacune de vos vies.

Certains lecteurs ont un contact fabuleux avec ces entités. Leur nombre est 32; leur symbole est le triangle. Quelques-uns d'entre vous commenceront à dessiner des triangles sans raison apparente; ils s'y sentiront tout simplement poussés. Le chiffre 32 n'est qu'un code. Il vous représente, comme il représente aussi un contact, comme il représente la conservation. C'est aussi ce qui vous inspire votre vérité et vous apprend comment la vivre. C'est comme une source supérieure vous aidant à éliminer vos limitations et à comprendre. Ce code touche une corde sensible. Ce sont vos frères, et quelques-uns parmi vous ont déjà été touchés par eux.

Ce grand vaisseau s'appelle *Melia Unmuun*, ou Vie argentée selon les termes de votre vocabulaire. Tout est déjà prévu pour que quelques-uns d'entre vous le voient. Car je veux que vous soyez confrontés à la puissance, je veux que vous expérimentiez l'ébahissement et reconnaissiez votre lien avec ce vaisseau. Si vous en êtes capables, cela contribuera grandement à inspirer votre conscience.

Vous devez la présence de ce vaisseau à la maladie de la planète et à l'effondrement de conscience de cette civilisation. Vous la devez aussi aux changements qui vont survenir et à une autre force agissant sur cette terre.

C'est ce glorieux vaisseau qui apparut à Fatima. C'est cet immense soleil de feu qui assécha la terre inondée quand votre atmosphère s'abattit sur elle. C'est lui qui inspira la vision annonçant les guerres qui allaient venir et la chute de la Grande Prostituée qu'est l'Église catholique.

Ce vaisseau servit également d'inspiration à d'autres prophètes du passé. Il inspira à l'humanité des choses merveilleuses pour préserver sa descendance. On abusa de la vérité, on malinterpréta les paroles des prophètes; des hommes puissants les utilisèrent pour asservir le monde. Et cela fut permis. Mais ce vaisseau est de retour à cause de la vérité, et je suis son prophète.

Tel que suggéré dans le livre intitulé *La dernière valse des tyrans**, je vous ai incités à regarder par la fenêtre du changement. Il vous a fallu beaucoup de courage pour

---

*Publié en français par Louise Courteau, éditrice inc. (Montréal, Canada)

changer votre vie, en prévision d'un jour prochain signalant l'arrivée d'une décennie tumultueuse. La majorité de ceux qui ont entendu ces paroles, prononcées au cours d'une réunion bien avant qu'elles ne forment un livre, ont changé de vie et de demeure. Ils ont opéré des transformations dans leur vie, au risque d'être couverts de ridicule. Et permettez-moi de vous le dire, ces changements sont essentiels à la survie.

L'information livrée à cette occasion ne diffère en rien de celle qui fut transmise à vos ancêtres des civilisations antérieures. On y traitait aussi de changement, du temps et des événements en cours.

Le mérite d'un grand nombre reposait en partie sur leur acharnement à comprendre cette information et à agir en conséquence. Par la suite, le degré de contamination de la conscience sociale détermina la véritable orientation qu'allaient prendre ces enseignements.

L'information suscite-t-elle l'action de votre part ? Pouvez-vous diriger autrement votre vie et faire du changement votre priorité ? Pouvez-vous transcender la conscience sociale, dépasser ce que les gens pensent et disent de vous ? Pouvez-vous comprendre que le temps est une illusion ? Savez-vous reconnaître le temps du changement ?

C'est ce qu'ont fait ces gens, en dépit des railleries. Par contre, plusieurs m'ont quitté et sont allés trouver des maîtres qui leur ont dit : «Vous n'avez pas à faire quoi que ce soit.» Mais quelques-uns d'entre eux sont revenus vers moi, car je leur dis la vérité.

Ayant compris qu'ils devaient *passer à l'action* et honorer ce grand décret, plusieurs se sont eux-mêmes choisis. Et de ce fait, vous, moi et ce vaisseau sommes liés par le destin.

Si vous avez été incités à passer à l'action, c'était pour vous laisser le temps d'atteindre une certaine stabilité avant d'entreprendre l'expansion de votre conscience. Il fallait vous assurer que vos greniers et vos garde-manger soient bien garnis avant de vous concentrer sur l'apprentissage. Les gens bien ordonnés qui trouvaient les tâches de maison fastidieuses étaient désormais libres de venir apprendre avec moi, sans se préoccuper de leur survie personnelle. (Un être humain effrayé et affamé est incapable d'apprendre !)

Certains individus, à la suite de cet enseignement, ont choisi de jouer un tour à leur conscience. Vous savez ce que c'est ! Ils se sont dits : «Ramtha, tout cela est de l'esclavage ! Je survivrai bien sans cette information.» Mais le tour, c'est à eux-mêmes qu'ils se le sont joué. Cette information ne vous est pas livrée sans raison; le processus d'assimilation et de réaction a aussi ses raisons. Ne vous attendez pas à ce que quelqu'un de «là-haut» vous aspire dans son vaisseau et vous enlève. En l'occurrence, ce ne sera pas le cas.

J'essaie de vous faire franchir une ère. En vous donnant ces renseignements, je souhaite vous voir élever votre conscience jusqu'à ce que vous ayez atteint la supraconscience; je souhaite vous faire traverser une ère de changement. Je vous ai fait des déclarations des plus fracassantes et des plus poussées et vous en avez tenu compte. Probablement mieux, même à ce stade, qu'aucune autre civilisation.

Je l'avoue, il m'a fallu étudier en profondeur les drôles de personnages que vous êtes. J'ai dû observer votre façon de vivre, pour pouvoir vous donner ces renseignements, sans provoquer la terreur ou vous voir ériger un dogme de plus !

J'ai simplement voulu que vous mettiez de l'ordre à votre maison, de sorte que vous puissiez vous asseoir et écouter, sans souci de préparation. J'ai voulu vous donner le temps de satisfaire à vos nécessités matérielles, afin que votre conscience soit libre d'apprendre. Voilà ce que j'attendais de vous.

Ces superbes entités — mes semblables — sont ici pour établir, une fois de plus, une continuité. Cette fois, ce sera une heureuse continuité, à l'abri de l'effondrement complet d'une civilisation. Et cette continuité vous aidera à traverser les prochains dix ans de changements. Vous aurez l'occasion, une fois les besoins fondamentaux comblés, de travailler librement à l'expansion de votre conscience. Et ces grandes écoles de mystère, tombées dans l'oubli, pourront réouvrir leurs portes. C'est la raison de ma présence ici. Je veux le faire parce que je vous aime.

Mon école sera riche d'enseignement pour ceux qui veulent apprendre. Elle leur permettra d'ouvrir leurs horizons toujours davantage, quelles que soient les fluctuations, les tergiversations, l'agitation ou l'agonie du reste du monde. Mon école sera un lieu d'apprentissage. Une conscience nouvelle germera au sein des élèves de cette école. Ils n'auront plus besoin d'aller de par le monde, de travailler et de s'agiter. Ils deviendront sédentaires.

Plusieurs de ceux qui déménagent au nord-ouest du pays n'ont jamais entendu parler de moi. Ils sont tout simplement mus par l'esprit, mon esprit. Cette vérité ne coïncide pas avec leurs croyances; si c'était le cas, ils ne déménageraient pas. Avec eux, il faut donc user de supercherie. Vous savez ce que c'est ! Vous créez une illusion, vous apparaissez sous l'aspect d'une dame divine et tout le monde en déduit automatiquement que vous êtes Marie. (Bien sûr, vous ne les démentez pas.) C'est simplement l'image qu'ils ont de vous. Grâce à cette image, vous pouvez leur parler et ils vous croient ! Cette ruse est en usage depuis très longtemps. Toujours, nous avons dû emprunter l'apparence de Marie ou de quelque autre personnage auréolé, afin de capter votre attention.

D'autres doivent leur déménagement dans cette région qu'est le nord-ouest du Pacifique à une inspiration moins évidente, mais ils déménagent tout de même. Leur seule certitude est qu'ils doivent y être. Ils sont attirés.

Quelques-uns sortent de la ville et ne savent pas pourquoi. Ils en sentent l'urgence. (Certains d'entre eux rencontrent des vaisseaux dans la campagne.) Ils ne comprennent pas pourquoi, mais ils déménagent quand même. Ils se sentent poussés à amasser des provisions, même si cela n'a vraiment aucun sens pour eux. Ils s'abstiennent d'en discuter au bureau ou à l'heure du déjeuner. Ils agissent par intuition, mais le désir est plus palpable, plus identifiable. Tout cela fait partie de l'image, vous savez !

Les gens déménagent en des endroits différents avec la sécurité comme objectif. Ils ne font pas nécessairement partie de la maison du Ram, de ceux qui écoutent sa parole; mais ce sont des gens mus par l'esprit et c'est du pareil au même. Ils déménagent par instinct de conservation.

Vos frères et soeurs s'efforcent de vous engager sur le chemin de l'évolution. Ils souhaitent que vous évoluiez dans la connaissance et la vérité, et que cette conscience continue de s'étendre. Ils mettent tout en oeuvre pour que vous viviez votre vérité et qu'elle devienne le verbe fait chair. Quand vous aurez réglé vos affaires personnelles et serez libres d'apprendre, le lien se fera. Vous serez témoins de choses merveilleuses et expérimenterez l'inconcevable.

Mes semblables ne sont pas des envahisseurs. Ils ont été plutôt vos sauveurs, que vous avez qualifiés à regret de messies. Leur seule intention était de vous dispenser la vérité qui éclaire afin qu'un jour vous puissiez vous joindre à eux et ne plus vous en séparer.

C'est l'ignorance et la superstition dont vous êtes encore teintés qui vous séparent maintenant les uns des autres.

Les hystériques sont très superstitieux. Les dogmatiques, qui se considèrent très religieux, cherchent quelque chose à adorer. Finalement, les bénéficiaires de ce contact seront les rationnels, les intuitifs, les mystiques, les dieux; ceux qui font des changements concrets dans leur vie; ceux qui vivent leur vérité et l'enrichissent; ceux qui ne se séparent plus de leur conscience et de leur Dieu. Ceux-là converseront avec mes semblables, en parfaite harmonie, d'égal à égal. C'est ainsi qu'il en a toujours été.

Si vous sentez le besoin de catégoriser ces entités ou de leur donner un nom, vous pouvez dire qu'elles viennent de la maison du Ram. Car le mot «Ram» est aussi représentatif du triangle.

*Il est merveilleux de constater
que vous avez des ancêtres dans l'univers.*

*Et le plus bel hommage
que vous puissiez leur rendre
est de comprendre qu'ils vivent heureux
là où ils sont.*

CHAPITRE 2

Les entités interstellaires

Certains d'entre vous ont eu de malencontreuses expériences avec ces entités. Disons plutôt que vous les avez perçues comme étant malencontreuses, car ces expériences n'avaient pour seule mesure que votre peur de ces entités. En conséquence, vous vous êtes retrouvés avec des sondes ou implants logés derrière le nerf optique. D'autres ont ces implants dans le rectum ou tout près de l'estomac, là où celui-ci communique avec l'intestin. Ce peut être assurément une fâcheuse expérience.

Ceux d'entre vous qui ont eu une communication avec elles ont eu affaire à un groupe d'entités de type interstellaire. Elles viennent de votre Voie lactée. Leur Soleil est bleu et non jaune. Ces entités sont aussi vos frères. Et l'endroit d'où elles viennent ne date pas d'hier. Elles sont immortelles. Le but de leur présence ici est aussi la reproduction, à cette différence près qu'elles rapportent la semence chez elles.

Ces créatures ne sont ni mal intentionnées, ni méchantes, ni cruelles. Elles sont décadentes. Ce sont des humanoïdes dotés d'une âme et d'un esprit. Elles vivent les affres d'une évolution agonisante, car elles ont développé leur intellect à un point tel qu'elles ont fait disparaître toute émotion de leur existence. Ces êtres ont grand mal à comprendre l'amour, le toucher, l'étreinte, la chaleur humaine. Bien qu'ils soient des génies galactiques, ils sont pauvres en esprit.

De tous, ce sont les plus célèbres. Ils sont dirigés par une femme relativement belle. Elle est très forte. Elle vient de la même lignée génétique que vous et ne ressemble pas du tout à ses sujets. Elle est leur déesse en quelque sorte. Elle s'efforce de reconstituer la souche de sa lignée génétique, bien similaire à la vôtre à ce stade d'évolution. En d'autres mots, cette civilisation essaie d'amalgamer la pensée scientifique civilisée, l'esprit, l'intuition, le spirituel et le mystique. Elle tente de réimplanter et de faire refleurir cet idéal.

Quelques-uns d'entre vous n'ont qu'un vague souvenir d'une expérience avec ces entités. La terreur que vous avez éprouvée à cette occasion vous empêche de vous la remémorer. Vous voyez les gens à votre image, tout comme vous avez créé Dieu à votre propre image. Quand vous apercevez autre chose que cette image, la peur, la superstition et même la colère s'emparent de vous. Tout ce qui diffère de ce à quoi vous êtes habitués vous semble anormal. Votre société vous a conditionnés à penser de la sorte. Vous avez vu trop de films d'horreur !

Jour après jour, vous agissez ainsi envers votre propre société. Des êtres humains vivant parmi vous sont laissés pour compte parce qu'ils n'ont pas la même apparence que vous ! Il leur manque un bras, ou ils n'ont pas de cheveux, ou ils sont couverts de plaies, ou ils sont infirmes. Vous êtes tellement conditionnés par votre propre image que vous ne pouvez supporter leur vue sans effroi !

Les êtres dont il est ici question ne vous ressemblent pas du tout. Ils sont petits, très minces et très fragiles. Leurs os se brisent facilement. En les empoignant, vous risqueriez de fracturer leurs membres et leurs grands yeux noirs se rempliraient d'une eau rouge. Ils n'ont pas la peau bronzée; celle-ci n'est pas brûlée à mort comme la vôtre, à force d'expositions aux rayons d'un soleil jaune. Ils n'ont pas la peau coriace. Elle n'est ni blanche ni noire. Elle est de teinte bleuâtre, comme leur soleil, avec une nuance grise. Cette apparence leur donne d'ailleurs un air malade. Pourtant, si l'on se base sur leurs lois génétiques, ils sont en très bonne santé.

Toutefois, la détérioration génétique qu'ils connaissent s'échelonne sur une période de milliards d'années; ils ont perdu la splendeur et la beauté de mes semblables. En fait, ils devinrent excessifs dans leur quête de la connaissance scientifique, au cours de leur évolution. De la connaissance, encore et toujours plus de connaissance.

À un stade de leur histoire, ils crurent fermement qu'ils devaient se débarrasser de l'émotion qu'ils prenaient pour de la mollesse de caractère. L'émotion *dénotait* pour eux une faiblesse. Conséquemment, ils extirpèrent l'émotion de leurs gènes pour la remplacer par l'intellect.

Ce sont des génies. Ils peuvent mettre une nova en mouvement et la faire exploser. Ce sont les «jongleurs de matière» de l'univers. Ils jonglent avec la matière, leur outil de création. Elle prend forme sous leurs yeux. Elle coexiste avec leur image; ils sont capables de créer cette dernière à partir de la matière brute.

Je sais que cela vous semble bizarre. Ce type d'information est difficile à avaler pour vous parce que vous êtes programmés à penser en termes de peur et de monstruosités. Vous ne pouvez concevoir qu'une civilisation soit à la fois si puissante et si vide.

Donc, qu'ont-ils fait à certains d'entre vous ?

Ce sont les envahisseurs de l'espace. Ils ont bel et bien créé des spécimens comme on le fait dans les laboratoires.

Il leur est possible de vous contrôler, car le pouvoir de leur pensée est quintessencié. Ils peuvent s'assimiler à la matière. Ils sont capables de vous hypnotiser en un instant et de fausser votre notion du temps. Par la pensée, ils sont capables de vous endormir, vous et tout ce qui vous entoure. Ils sont à ce point puissants.

Depuis très longtemps, ils font avec vous de la reproduction par croisement. Ils ont enlevé des êtres humains et ont tenté de les emmener dans leur monde pour les reproduire. Je dis bien reproduire ! Mais les humains ne peuvent survivre dans leur environnement, à moins qu'on ne leur injecte un gel électromagnétique dans les intestins, les organes et les sens pour qu'ils puissent supporter le périple. Étant donné ces inconvénients, ils viennent vous trouver ici. Leur choix est basé sur vos capacités émotionnelles génétiques; vous êtes choisis en fonction de votre aptitude à la chaleur humaine et à l'amour.

Si vous êtes émotifs, il se peut que vous ayez été sélectionnés. L'endurance physique fait aussi partie de leurs critères. Si vous aimez, si vous ressentez, vous êtes de ce nombre.

La littérature a beaucoup parlé de ces enlèvements, mais tout n'a pas été dit. Le monde n'est malheureusement pas prêt à entendre toute la vérité.

Ce n'est pas aussi terrible qu'on veut le faire croire. Oui, vous avez des rapports sexuels avec vos frères. Oui, vous partagez avec eux votre semence. Oui, cet acte est dépourvu d'amour, de passion et même de gentillesse. C'est de la copulation pure et simple. Ils s'emparent de votre semence pour l'unir à la leur. L'enfant qui en résultera sera élevé dans leur milieu.

Votre semence sert à la reproduction.

Ces créatures ont été traitées de ravisseurs. Certains milieux les méprisent; d'autres les craignent. La majorité des gens pensent que cette idée est tout à fait grotesque. Ils croient qu'elle a pris naissance dans l'imagination fertile de névrosés en mal de publicité. Votre civilisation a toujours utilisé cette tactique pour détruire les faits qu'elle ne voulait pas accepter. Ne le savez-vous pas ?

La vérité est que ces enlèvements ont eu lieu à grande échelle au sein de votre population. Plusieurs femmes, tenant en ce moment ce livre dans leurs mains, ont subi des enlèvements. Il y a eu copulation et leur enfant leur a été pris.

Vous avez des enfants dans un autre monde, mais c'est à cet autre monde qu'ils appartiennent. Ils font renaître l'émotion humaine. Leurs grands yeux lumineux émaillés de noir sont ceux de l'éternité. Leur déesse fut engendrée par ce même procédé.

Toutes ces créatures ont une apparence similaire. Elles ont toutes le même teint et les mêmes yeux, des yeux éternels émaillés de noir. Cependant, il existe maintenant des enfants aux grands yeux bleus comme le ciel qui pleurent des larmes d'un bleu plus pâle que celui de leurs yeux. Pour eux, les larmes sont très précieuses et ils les ramassent ! C'est merveilleux. C'est l'eau de la vie régénérée.

Leur méthode est la seule qu'elles connaissent. Elles croient que les êtres humains choisis ont l'étoffe génétique et émotionnelle nécessaire pour magnétiser dans leur progéniture des âmes et des esprits qui donneront une nouvelle orientation à leur évolution. Leurs rejetons évolueront et copuleront tout en engendrant l'amour disparu de leur univers.

Donc, quelques-uns d'entre vous ont des enfants parmi les étoiles, des enfants qui ont de grands yeux bleus lumineux ou de grands yeux noirs. Leur musculature est encore frêle. Mais en se reproduisant à leur tour, ils créeront une génération plus avancée. C'est le but qui les anime.

Si vous êtes émus et vous reconnaissez en lisant ces lignes, vous verrez, quand vous serez prêts, — prêts en esprit et ayant suffisamment de maturité — une image de vos enfants. Celle-ci vous sera transmise depuis la constellation où ils habitent et traversera les dimensions. Vous verrez vos enfants. Qu'il en soit ainsi !

Être «prêt» signifie comprendre que ce qui vous est arrivé n'a rien de dégradant. C'est voir au-delà de l'acte de copulation en soi. C'est reconnaître dans cet acte l'amour, la conscience et la limpidité de la force vitale.

Votre conscience grandira et vous comprendrez qui vous êtes, vous comprendrez votre lien avec CELUI QUI EST. Quand vous aurez atteint cette maturité, vous verrez l'image de ces enfants, petits et grands. Et à ce stade, ces grands yeux lumineux ne vous inspireront plus la crainte mais l'amour. Ce sera un cadeau spectaculaire.

Cet événement est en préparation, car les responsables de cette invasion ont appris quelque chose du partage génétique. Ils se rendent compte combien un enfant est cher à sa mère, combien un fils manque à son père. Ils comprennent désormais que lorsqu'une portion de votre âme est ailleurs, celle-ci en est consciente. L'apprentissage de ces créatures consiste en partie à découvrir l'attachement émotionnel et le libre arbitre. Nous avons tous un apprentissage à faire et c'est le leur.

Bien que ces enlèvements se soient produits à grande échelle sur votre plan, vous devez comprendre que ces entités — ou E.T., puisque vous les avez rendues mondialement populaires grâce au cinéma — sont pure pensée. Elles exécutent des ordres transmis par la pensée. Elles sont dépourvues d'émotion. Elles ne s'excusent jamais. Si elles se mettent à votre poursuite dans leur vaisseau, vous n'en aurez aucun souvenir. Et si vous saignez abondamment du nez, c'est qu'elles vous ont examinés, créant ainsi un lien avec vous, et ce, pour le reste de votre vie.

L'amour équivaut pour elles à la pensée. Quand leur visage apparaît devant le vôtre, c'est qu'elles ont établi un lien avec vous. Elles se sont emparées de votre semence; elles ont fécondé vos entrailles. Votre paternité et votre maternité génétiques sont leur espoir pour l'éternité.

Vous lisez sans doute ces lignes avec scepticisme. Croyez-moi, c'est vrai ! Il y aurait encore beaucoup à dire au sujet de ces créatures et de leur rapport avec vous, mais je n'en dirai pas davantage. Vous serez unis à ce visage toute votre vie et même au-delà. Vous êtes pour ainsi dire mariés ensemble, au sens du terme qui vous est familier.

Vous avez des partenaires dans l'univers, dans la vie. Considérez-les comme des membres de votre famille, car ils le sont.

Voulez-vous savoir la tactique utilisée pour les besoins de la cause ? Certains se font sortir du lit au beau milieu de la nuit. D'autres se font arrêter leur voiture au milieu de l'autoroute. Lorsque j'ai transmis cette information pour la première fois, il y avait parmi l'auditoire deux personnes à qui c'était arrivé : l'une s'était fait enlever à l'occasion d'une foire et l'autre, dans sa voiture sur l'autoroute. En un instant, celles-ci furent enlevées, fécondées et retournées là où elles avaient été prises. Selon le cas, chacun pense qu'il a tout simplement eu une crevaison et ressent une sensibilité au nez et une douleur au pénis ou dans le bas-ventre.

Peu importe où vous êtes. Ces créatures savent arrêter, paralyser le temps. Elles sont capables de projeter dans l'esprit de ceux qui vous entourent une image suggestive les empêchant de voir ce qui se passe. Une personne peut être à vos côtés et n'avoir absolument aucune idée de ce qui se déroule. Votre époux peut dormir à vos côtés, sans jamais se rendre compte que vous avez été tirée du lit. Il se peut qu'il ne le sache jamais ! Et vous aurez attribué la tache de sang sur l'oreiller à un saignement de nez durant la nuit.

Plusieurs d'entre vous, mesdames, avez eu des fausses couches. Ce n'est pas toujours parce que la nature rejetait le foetus ou que l'esprit repoussait l'enfant. Certaines fausses couches sont survenues à la suite d'une fécondation dont votre époux ou votre amant n'étaient pas les auteurs.

En y réfléchissant bien, vous allez peut-être découvrir que vous avez eu des saignements de nez durant la période de conception, ou que vous avez perdu toute notion de temps, ou que vous avez fait des cauchemars ou de mauvais rêves. Après examen, vous comprendrez alors ce qui s'est réellement passé. Certains font continuellement des rêves symbolisant des formes animales. Il se peut que cette image vous soit suggérée pour vous faire accepter leur apparence.

Si vous associez l'idée de divinité spirituelle à un aigle, c'est probablement un aliénigène. Pourquoi les Amérindiens se représentaient-ils l'aigle comme un esprit évolué ? Pourquoi les peuples des tribus indigènes considéraient-ils les animaux comme des esprits ? Parce qu'ils avaient un lien avec les habitants des étoiles. Leur mémoire du Grand Esprit se traduisait par l'image du Grand Bison blanc, de l'Aigle majestueux, de l'Ours ou par le cri d'une Baleine. Voilà ce que ces images représentaient en soi : des communications en provenance des étoiles. C'est une grande vérité.

Quant à vous, messieurs, si vous vous sentez attirés par des femmes à la chevelure sombre et aux grands yeux noirs, si vous avez tendance à fantasmer à leur sujet et surtout si ce fantasme coïncide avec une érection et une éjaculation incontrôlables, vous devez fort probablement tout cela à un souvenir qui tente de resurgir. C'est une explication plausible. Si vous avez ressenti une douleur au pénis ou aux parties génitales et si vous vous êtes sentis coupés du temps ou avez eu des saignements de nez et des égratignures cutanées, vous avez été contactés.

Dans la mesure où vous voudrez bien vous souvenir, je vous assisterai. Mais si votre maternité stellaire vous rend hystériques ou si vous affirmez obsessivement avoir trouvé votre âme soeur en cette entité, je ne vous aiderai pas ! Par contre, si vous désirez sincèrement savoir, je ferai en sorte que vous soyez éclairés en la matière.

Si ce récit n'éveille pas en vous le moindre souvenir, c'est qu'il ne vous est probablement rien arrivé. Les uns y voient une bénédiction; les autres en éprouvent du regret. Le fait de n'avoir jamais eu de contact, de n'avoir jamais été choisi, fait le bonheur des uns et le malheur des autres. De toute façon, c'est votre réalité.

Dans votre culture, et à ce stade de votre évolution, le rapport amoureux est — et devrait être — chose sacrée. Pour mes semblables, la copulation était sacrée. Plus que de la simple convoitise, c'était l'oeuvre de la lumière, de l'esprit. La friction dans l'unification, c'est de la création explosive dans la lumière !

Mes semblables partagèrent aussi votre semence; mais ils le firent dans un tout autre cadre, celui où les dieux poursuivaient les nymphes dans la forêt. Ils furent les grands amants de l'histoire. Ils furent des dieux magnifiques, comprenant la passion et ce que représente la création dans la passion. Leurs rapports avec vous étaient moins abstraits que ceux entretenus par les créatures citées plus haut.

Au cours de vies passées, certains d'entre vous ont eu des interludes avec ces dieux. Cela ne s'est pas produit au cours de la présente existence, et les probabilités dans ce sens sont nulles.

Au fait, voici une simple démonstration des possibilités dans ce domaine : le jour où j'ai communiqué cette information, cinq personnes parmi l'assistance sont sorties de votre univers et sont revenues par leurs propres moyens. Elles savaient toutes choses; le voile obstruant leur vision s'était aminci. Elles ont voyagé sur la lumière et assisté à la collision des dimensions. Elles ont traversé un trou noir et se sont condensées en pensée coagulée. Elles ont bel et bien chevauché la lumière et ont contemplé la beauté face à face. Elles comprennent alors pourquoi tout être porte le nom de dieu car elles ont vu son visage.

L'aller-retour de ces cinq individus s'est effectué sans anicroche, et ce, pour une bonne raison. Ce sont des humbles, des purs en esprit. Ceux-là savent exactement ce qui se déroule derrière le voile. Dès l'instant où celui-ci devient transparent, ils savent. Puis le voile s'obscurcit de nouveau et ils oublient. Mais ils ont, par moments, une vision qui leur révèle la signification du chariot de feu.

Ils connaissent celui qui suscita le tonnerre au mont des Oliviers. Ils ont vu celui que Moïse contempla, celui vers qui Jeshua ben Joseph retourna. Ces cinq individus ont vu la face d'un dieu. Ils n'ont pas eu à donner leur semence ou à copuler. Ils ont tout simplement fait une expérience.

Ils ont été choisis pour leur simplicité. Ils étaient purs en esprit, c'est-à-dire sans dualité. Ils étaient compatissants, tendres et bons, dépourvus de superstition. Ils pouvaient contempler la magnificence et s'en étonner, vouloir tout bonnement s'identifier à elle sans l'adorer. Ces cinq personnes feront l'objet d'une sorte de pourparlers personnels et intimes.

*La connaissance de vous-mêmes
devrait passer avant tout,
avant même de songer à la conquête des autres.*

La vérité n'est pas révélée à tous,
car tous ne sont pas prêts à l'entendre.

Le Livre des Livres abonde en symboles,
à la seule fin
de faire passer un message à l'humanité.

CHAPITRE 3

Des tyrans évolués

Il existe aussi un autre groupe d'entités qu'on pourrait qualifier de tyrans évolués. Ceux-ci viennent de très loin. Ils opèrent eux aussi à partir de cette planète. Ce sont des dieux magnifiques mais, techniquement parlant, ce sont des «tyrans évolués».

Ce sont eux qui contribuèrent à créer la religion sur votre planète. Ils divisèrent les peuples en introduisant l'idée de culte et la subordination des descendants. Ils créèrent les concepts de ciel et d'enfer et inventèrent Jehovah et Lucifer.

Ces entités sont responsables des déchirements au sein du monde. Elles se sont choisi des esclaves disposés à détruire le monde, au nom de Dieu.

Elles sont très puissantes. Elles savent entretenir le mythe et garder les superstitieux dans l'ignorance. Certains, en haut lieu, leur ont servi de pions et continuent de le faire, encore aujourd'hui. Leur pacte prend fin avec le dernier pape. Ces êtres ont tenté d'instaurer leur vérité, non dans la lumière mais dans l'esclavage. Ce sont des oppresseurs.

Bien qu'ils s'immiscent aussi dans les affaires d'autres civilisations, ils ont fait leur oeuvre ici au cours des âges. Leurs formes étant tout à fait exquises, votre apport génétique n'a aucune espèce d'intérêt pour eux. Ils n'ont, par conséquent, aucun besoin de vous, si ce n'est pour vous dominer.

À *leur manière*, ce sont eux aussi des bienfaiteurs. Car certains parmi eux contribuèrent au relèvement et à l'évolution de quelques humains ignorants. En l'occurrence, je parle d'ignorance dans le contexte de l'évolution. Ils inspirèrent la création de la première dynastie mongolienne.

L'ancienne Égypte fut aussi créée sous leur inspiration. Techniquement parlant, ils sont très brillants.

Ils se sont ingéniés à rehausser la condition humaine, mais uniquement dans les limites qui serviraient leurs intérêts. Comprenez-vous ? C'est ainsi que la plupart des parents peu éclairés élèvent leurs enfants. Ils le font pour *leur* propre satisfaction. Vous saisissez ? Ces enfants leur *appartiennent* toujours. Ce sont «leurs» enfants; ceux-ci sont «leur» fierté; ils contribuent au maintien de «leur» image; ils font partie de «leur» famille. Ces entités véhiculent la même conscience.

Ce concept d'appartenance part d'une attitude despotique, inculquée par des tyrans qui vous perçoivent comme «leur» possession, «leur» création. Ils profitèrent du fait qu'ils avaient inspiré des civilisations stériles pour leur instiller l'idée de subordination, d'ignorance et d'esclavage.

En dieux jaloux qu'ils sont, ils déclarèrent témérairement : «Vous ne servirez aucun autre dieu que nous.»

Ils ressuscitèrent des saints pour transmettre leur vérité et des démons pour la perpétuer. Puis, ils vous firent croire que les démons représentaient l'aspect ténébreux et violent de l'être humain.

Tous ces détails ne font que démontrer leur besoin de se faire servir. Si vous connaissiez dans toute son étendue le rôle qu'ils jouèrent réellement dans la religion, allant jusqu'à la mise en place de ses hauts dirigeants, vous en seriez renversés. Les sensibles en auraient l'âme transpercée; pour eux, l'information serait littéralement fatale. Il n'y a pas de mots pour décrire leur énorme influence dans votre asservissement !

L'assujettissement d'un inférieur n'a rien d'extraordinaire. Indépendamment de son degré d'évolution, toute entité est capable d'arrêter la progression d'un esprit inférieur — bien que ce dernier soit toujours d'essence divine.

Les entités dont il est question en ce moment instaurèrent de puissants gouvernements. Nous leur devons la naissance de Jules César. Nous leur devons, en partie, l'existence de Napoléon. Nous leur devons Hitler. Ce sont des personnages à caractère plutôt contemporain, mais noyés dans l'ampleur du temps, ils ne sont rien.

Elles exercèrent tout ce contrôle et toute cette domination, afin de préserver leur idéal. Jamais il ne devait vous être permis de dépasser le cap de la servitude.

Un jour, une puissante armada viendra. Elle entrera en lutte contre une armada plus puissante encore. Cette guerre dans les cieux, prophétisée depuis longtemps, a donné lieu à une vision. Les adversaires de cette guerre sont des êtres de lumière. L'enjeu en est le contrôle de votre racaille terrestre. Tout cela dans le but de satisfaire un ego altéré.

Ces dieux-là ont encore un bout de chemin à parcourir dans l'évolution. Sachez que, déjà, ils voient clair et commencent à se rendre compte de ce qui se passe.

Voici ce qui leur arrive. On a beau s'étourdir à force de conquêtes, il faut un jour en venir à la conquête de soi. Et c'est ce qu'ils font. Tout comme vous, ils sont en train de se conquérir eux-mêmes.

Pourquoi auraient-ils besoin de vous ? Vous ne pouvez même pas les servir comme ils l'entendent. Vous êtes incapables de construire des vaisseaux selon leurs exigences. Changer de forme vous est impossible. Disparaître d'un endroit pour réapparaître ailleurs l'est tout autant. Vous êtes incapables d'une puissante pensée focalisée (bien que vous soyez en train d'en apprendre les mécanismes). Pour eux, vous n'êtes que des jouets !

Il n'y a pas de guerre plus «terrible» que celle que se font deux puissances tyranniques. Lorsque deux grands s'opposent, c'est la bataille suprême. Vous faites constamment la guerre au sein de votre société, et vous pensez que c'est formidable ! Vous les imitez, eux et leur conscience. Cette conscience déteint sur votre image. Quant à eux, leur but est de vous dominer. Comme c'est flatteur d'avoir empire sur un groupe de dieux !

Une multitude d'entités vous aiment (moi particulièrement). Et il n'est pas de plus puissant glaive que celui de la vérité, de la lumière et de la connaissance. En vous résident des pouvoirs étonnants : la connaissance et la vérité. Votre corps, joint à une conscience capable d'ajustements précis, surpasse en magnificence tous leurs vaisseaux.

Ces vaisseaux et la lumière qui s'en dégage, la couleur de peau de ces entités, leur apparence inspirant tantôt l'enchantement tantôt la frayeur, tout cela dérive d'un seul dénominateur : la conscience de CELUI QUI EST. Et dans la conscience, tous les choix ne sont que des effets secondaires de l'évolution. Tout ce que je vous ai décrit jusqu'à maintenant illustre les modes de fonctionnement propres à certains groupes d'entités, au sein de leur propre processus d'évolution.

Les êtres de niveau supérieur sont capables de libérer la conscience d'un corps semblable au vôtre. C'est ce qu'on appelle de la puissance. Et cette puissance-là transcende celle du grand vaisseau au pouvoir destructeur. Elle est supérieure à tout engin interdimensionnel, à toute arme, à toute force ou à tout champ magnétique. Car toutes ces créations matérielles proviennent de la conscience.

La plus grande armée qui soit — si l'on veut parler d'armée — est une armée de conscience. Rien, absolument rien ne peut vaincre une telle armée.

Ceux qui voudraient vous asservir ne souhaitent pas vous voir apprendre ce que j'enseigne à mon école. Car lorsque vous aurez compris la conscience et aurez réalisé ce que vous êtes, personne ne pourra vous dominer.

Si ces entités ont fait des pas dans l'évolution, c'est à cause de leur environnement. Je veux que vous le sachiez. Elles possèdent une haute technologie. Elles comprennent la matière et l'antimatière, la gravité et l'antigravité. Leur haute compréhension du conscient et du subconscient leur permet de produire l'antimatière. La vie qui apparaît et disparaît, c'est de l'antimatière en mouvement. Le saviez-vous ? Mais qu'est-ce que l'antimatière ? C'est la conscience. La grandeur de ces entités n'a d'égal que leur capacité à transformer la matière. Le pouvoir suprême réside dans la conscience, et la matière dérive d'elle.

Vous êtes capables d'apprendre comment élargir votre conscience, comment chevaucher la lumière et sortir de votre esprit. Quand vous y parviendrez, aucun vaisseau ne pourra vous retrouver. Ils n'ont pas cette rapidité ! Vous demeurerez introuvables. Il en va de même pour ma fille. Quand sa conscience me cède la place, personne ne peut la trouver, ni ceux qui lisent ces lignes, ni aucune des créatures susmentionnées. Le saviez-vous ? Où se trouve-t-elle quand je parle ? Sa conscience va vers la lumière.

Pour en revenir à ces créatures, disons que vous les «servez» de multiples façons. Ces jaloux qui ont un problème d'ego altéré connaîtront un revirement. C'est déjà un fait accompli dans la destinée. Encore pris dans la spirale du temps qui se joue, vous vivez les derniers moments de cet épisode. Mais c'est un fait accompli !

La cosmologie dont vous êtes le chef-d'oeuvre défie toute explication humaine, car elle en est l'essence même. On l'appelle Dieu, Conscience et Énergie, Force vitale.

Si vous agissez en victimes,
vous serez traités comme telles.
Ainsi va la vie.

Soyez des dispensateurs d'amour
et la pareille vous sera rendue.
Invitez ces êtres dans votre demeure
et ils feront de même.

CHAPITRE 4

Les semblables s'attirent

Si vous agissez en victimes, vous serez traités comme telles

Cela semble incroyable, je le sais. Certains croient qu'ils ont été contactés; ils sentent que c'est vrai. D'autres savent qu'ils sont plus que poussière retournant à la poussière; ils sont prêts à admettre qu'ils valent mieux que les déchets de leur corps. Mais sont-ils crédules au point de penser qu'on a l'intention de les ramasser dans une grosse pelle et de les emporter dans un autre univers pour les dévorer ? Ils feraient un terrible pilaf humain !

Ces êtres ne se nourrissent pas de chair. Ils sont avides de vérité et de connaissance. Les Petits Gris aux grands yeux qui vous poursuivent ne mangent pas. Dans leur évolution, les lèvres sont dépassées. Comme ils n'embrassent pas, ils n'ont aucun intérêt pour la chose ! Puisqu'ils ne s'expriment pas avec des mots, les lèvres ne leur sont pas utiles. C'est par la conscience et non par la bouche qu'ils communiquent.

Comme ils ne portent pas de bijoux, ils n'ont pas besoin d'oreilles. (La génération que vos femmes leur ont engendrée sera sans nul doute munie de larges oreilles ornées de lobes allongés. Celles-ci leur seront nécessaires pour l'ornementation. Ce sera leur unique raison d'être !)

Les Petits Gris n'utilisent pas le son de la même façon que vous. Si seulement il vous était donné d'expérimenter leur mode de perception. Le bruit que vous émettez ressemble à celui d'un moteur de faible puissance. Ils n'ont pas besoin de vous entendre parler. Ils captent la vibration à l'origine du son. Par conséquent, les oreilles ne leur sont pas utiles.

Les cheveux n'ont pas d'attrait pour eux; ils n'en ont pas besoin. Ce n'est qu'une entrave, une perte de temps. Les cheveux servaient jadis à protéger votre cerveau du soleil et à dissimuler la vie. Ceux-ci mobilisent maintenant une grande partie de votre attention et de votre temps.

Les Petits Gris ont une réelle supériorité sur vous. Votre simplicité et votre réceptivité font de vous d'excellents spécimens. Ils vous comprennent et ils vous parleront. Leur déesse n'est pas vraiment belle, selon vos standards, mais elle n'en est pas moins extraordinaire.

Plus vous vous ferez réceptifs, plus ils en seront conscients. La lumière attire la lumière. Les semblables s'attirent et s'égalisent.

Leurs vaisseaux défient les lois de la gravité. Ceux-ci peuvent s'immobiliser dans le ciel, bien qu'ils n'aient pas d'ailes comme les oiseaux. Ces gens peuvent vous donner l'illusion que vous êtes encore dans une pièce tandis que vous êtes réellement avec eux !

Que de choses pourrais-je vous dire concernant ces aliénigènes, comme vous les appelez, à quel point ils ont inspiré les civilisations et ce qu'ils ont fait de celles-ci. Mais la seule chose importante que vous deviez savoir est qu'ils sont vos frères et vos soeurs. Indépendamment de leur apparence, ils sont toujours dieux. Ils ont une âme et un esprit sublimes compatibles avec votre lumière.

L'unique différence réside dans votre apparence, dans vos mécanismes corporels, vos besoins et votre survivance. Votre atmosphère est différente de la leur. Le composé minéral de votre masse physique n'est pas identique au leur. La plupart ne pourraient pas vivre dans votre milieu. Ce leur serait impossible, puisqu'ils ne respirent pas l'oxygène.

Un petit nombre d'entre eux peuvent respirer parce qu'ils sont capables d'adaptation. On les surnomme les Dieux de haut niveau, les Anges, les Êtres de Lumière. Ils peuvent s'adapter parce que toute leur puissance vient de la force vitale. Cette force n'est pas constituée de minéraux ou de gaz. C'est la *force vitale*.

Vous verrez apparaître deux différentes sortes de vaisseaux dans vos cieux (État de Washington). Vous en verrez qui sont d'un orangé rougeâtre. C'est la couleur qu'ils ont lorsque stationnaires; mais dès qu'ils commencent à se transformer, ils explosent en une lumière intense. Ces vaisseaux de couleur rouille appartiennent aux Petits Gris. En les apercevant, rappelez-vous les yeux et la fragilité de leurs occupants. Former d'eux une image mentale dans votre conscience et la leur envoyer contribuera à établir avec eux un contact amical.

Et souvenez-vous, ils ont une attitude froide et sèche. Ils ne rient pas et ne font aucune plaisanterie. Parmi leur groupe, vous ne trouverez pas de comédiens. Ils s'exécutent avec précision et sur-le-champ, quand on leur demande quelque chose. Ils ne badinent pas. Néanmoins, ils prendront contact avec vous. Il est possible qu'ils n'atterrissent pas tout de suite. Ils vous tourneront autour et vous observeront de leur vaisseau pendant quelque temps. Et dès qu'ils s'apercevront de votre sincérité, ils vous aborderont. Ceux-là sont les Petits Gris.

Le vaisseau de mes semblables, quant à lui, est impressionnant. Il se peut que vous le voyiez. Et vous verrez flotter la lumière de ces êtres lumineux ! Il se peut qu'un bon matin, vous aperceviez à votre réveil une lumière qui se tient là et vous observe à travers la fenêtre. Ce sera un de mes semblables.

Quant à la deuxième catégorie importante dont je parlais plus haut, composée de vaisseaux rouges et verts, vous n'en verrez pas tellement. Ceux-là sont les maîtres de la subordination, les Grands Tyrans. Vous ne les verrez pas dans vos cieux (État de Washington).

Les boules de lumière verte continueront à exploser dans votre atmosphère. Ce procédé, entrepris par mes semblables, sert à purger et à nettoyer votre atmosphère.

Dans les temps futurs, l'apparition simultanée de plusieurs vaisseaux en rangée sera chose courante. Ils se sépareront, prendront des directions différentes, puis sembleront tomber du ciel. Il se peut aussi que vous aperceviez une lumière vibrante sur la route, alors que vous serez au volant de votre auto.

Ce sont les seuls vaisseaux que vous verrez ici. Et vous n'avez rien à craindre d'eux. La seule chose qui doive vous inspirer la crainte, c'est l'ignorance.

Si vous comprenez la conscience et savez qui vous êtes, vous serez sur un même pied d'égalité. Si vous agissez en victimes, vous serez traités en victimes. Ainsi va la vie.

La vérité demeure la vérité, peu importe la couleur de la peau ou l'apparence. La conscience demeure la conscience. C'est ce que vous avez appris, et cette leçon a la même signification dans leur vérité. Comportez-vous en dieux et vous serez traités comme tels. C'est une leçon d'égalisation, d'harmonisation magnétique. Agissez en victimes et vous serez traités comme telles. Il en est ainsi.

Soyez des dispensateurs d'amour et la pareille vous sera rendue. Invitez ces êtres dans votre demeure et ils feront de même.

Vers la fin de cette prochaine décennie — époque tumultueuse —, vous serez de plus en plus exposés à des événements du genre. C'est une nécessité; vous en avez besoin. Ces événements sont déjà en préparation. Plus vous accumulerez d'information au sujet de ces entités, plus votre esprit s'ouvrira à des possibilités.

Au cours de votre croissance, vous apprenez d'abord à vous tenir sur le ventre et vous gigotez. Bientôt mus par l'impulsion, vous apprenez à vous traîner. Peu après, vous commencez à vous redresser, puis à marcher. Pour l'apprentissage comme pour une expérience avec vos frères, c'est le même processus. C'est ainsi que ce doit être; la connaissance grandit petit à petit.

Vous apprendrez à entrer en contact avec ces entités, processus tout aussi naturel que la respiration. L'apprentissage sera progressif. Vous obtiendrez la connaissance, et celle-ci créera la réalité qui vous ouvrira la porte permettant l'échange. Cet échange sera à la mesure de vos capacités et pas davantage, sauf pour les cinq individus dont j'ai parlé plus tôt. En ce qui les concerne, le prochain contact s'opérera à un niveau encore plus élevé.

Un jour, vous serez tous finalement «rodés» pour ainsi dire. Ce processus ne vous sera plus «étranger», il vous paraîtra normal. Ce sera devenu réalité. Vous pourrez continuer d'aller à l'école, vivre de multiples aventures et découvrir une haute technologie. Faire partie de cette évolution est une chance inouïe. Si quelqu'un vous dit qu'il a fait l'objet d'une brève rencontre, croyez-le. L'incrédulité vient de votre nature irréfléchie. Vous ne voulez pas croire à l'expérience d'autrui, pour la simple raison qu'elle ne vous est pas arrivée à vous. Je vous l'affirme, plusieurs des personnes qui tiennent présentement ce livre en main feront des expériences du genre. Et il n'est pas d'attitude plus sage et plus prudente que d'écouter ce que vos amis ont à dire. Leur expérience peut vous être très bénéfique.

Cette information n'est pas pour les sceptiques. Tout existe. Si l'on compilait tous les faits qui ont été rejetés parce qu'ils n'étaient pas conformes aux croyances chrétiennes, la dichotomie de croyance et d'incroyance n'existerait pas.

Si vous voulez participer à cette continuité, vous feriez mieux d'en apprendre le plus possible sur ce phénomène. Certains d'entre vous auront des expériences incroyables. Permettez-leur d'être incroyables ! Et si les mots vous manquent pour les partager avec quelqu'un, c'est sans importance. L'important, c'est que vous en *tiriez des leçons*.

Les premiers chapitres contenaient jusqu'ici des définitions sur quelques espèces d'entités. Le chapitre suivant vous révélera ce que sait votre gouvernement. Il faut que vous le sachiez, une conspiration énorme est en train de se tramer. Votre gouvernement est au courant des informations qui vous sont livrées. Mais sachez que vos frères dans les cieux, dans l'attente de vous contacter, sont aussi bien informés.

Quand vous vous arrêterez à contempler le ciel, rappelez-vous que le triangle est le symbole qui vous relie aux dimensions. Si vous désirez émettre une image, envoyez celle du triangle. Cela accélérera vos rencontres. Par-dessus tout, que vos pensées soient conformes à votre «vouloir» et celui-ci sera conforme à votre réalité. Votre réalité coïncidera avec les réalités conformes à votre vouloir. Ainsi, quand vous voudrez établir le contact, le lien se fera. C'est le processus à suivre.

*Vos actes passés sont sans importance.
L'important, c'est ce que vous avez été et ce
que vous êtes.*

*Et personne ne vous aimera jamais autant
que vous le ferez vous-mêmes
à travers tous les voiles.*

CHAPITRE 5

L'information que détient votre gouvernement en regard de celle qu'il vous livre

Votre gouvernement est une institution douteuse. Il connaît la science de l'antigravité depuis la fin du siècle dernier.

Au tournant du siècle, au temps où les chevaux tiraient encore des carrioles sans affecter l'environnement, des savants connaissaient les secrets de l'alchimie relative à l'atome dont ils devaient la découverte à une société des plus occultes. Les membres de cette société possédaient une profonde intelligence du magnétisme; ils savaient comment $E=MC^2$, la réciproque au carré de la lumière. Le plus brillant et le plus futé d'entre eux s'appelait Nikola Tesla.

Cet homme ingénieux faisait partie d'un groupe d'individus dont l'entraînement consistait à inculquer graduellement des connaissances techniques à la civilisation. Cette information a permis une évolution dans le domaine technique. (Durant les deux derniers millénaires, l'humanité a bénéficié de ce support.) Mais cela devient problématique quand les rois et les gouvernements découvrent l'existence de tels individus. Ils confisquent les documents de ces derniers et les emprisonnent dans l'intention de leur arracher ce qu'ils savent. Cette terrible attitude de la part des gouvernements et cette fièvre du pouvoir ont été constantes au cours de l'histoire.

Dès le tournant du siècle, votre gouvernement possédait des avions. Ceux-ci n'étaient pas particulièrement formidables, mais ils existaient. Vous connaissez les frères Wright, ces inventeurs de l'oiseau volant bien connu ? Les autorités approuvèrent cette découverte et le «premier» avion vit le jour. Pourtant, les connaissances à l'origine de cette réalisation existaient depuis bien longtemps.

Saisir les mécanismes de la matière et de l'antimatière, comprendre la façon dont les fibres de la matière s'entrecroisent et la façon dont se forme son vortex, c'est percer les secrets de l'antigravité. C'est ce qui compose le cosmos. C'est ce qui constitue cette terre. Cette connaissance a toujours été accessible. Pendant longtemps, les brillants esprits qui la possédaient l'ont fait passer dans les légendes.

Les gouvernements mondiaux développèrent un intérêt plus marqué pour cette découverte, en particulier au cours de la deuxième grande guerre, alors que le tyran était en Europe.

L'armée de ce dernier conçut des avions qui auraient fait votre envie. Ces appareils naquirent sous le symbole du zircon ou croix gammée. Ce symbole devait représenter les *Illuminati*, une race supérieure selon ce tyran.

Ce concept était — et est encore — bigot, asservissant et tyrannique. C'est la prostitution d'une vérité plus profonde sur l'identité véritable des *Illuminati*. Ceux-ci n'appartenaient pas à la race blanche. C'étaient des gens éclairés dont l'existence remonte à des milliers d'années dans votre histoire. C'étaient des messagers de la vérité et de la technologie. Ils avaient pour tâche de semer certaines notions technologiques dans la civilisation de l'époque, en tenant compte du degré d'évolution collective.

Permettez-moi de vous donner des précisions au sujet de cette civilisation en particulier. Si l'on se réfère à l'ère chrétienne, elle a pris naissance 5 000 ans environ avant J.-C. et subsiste encore aujourd'hui. Cette civilisation — qui est la vôtre — était en général passablement arriérée et lente sur le plan des réalisations techniques. Les *Illuminati*, ces gens extraordinaires surnommés les Anciens, détenaient les secrets de l'univers. Ils les révélèrent à certains individus parmi lesquels se trouvait Tesla. Cette brillante entité transmit au gouvernement ses connaissances sur l'antigravité. (Celle-ci s'obtient sur une grille lignée. Pour créer l'antigravité, il faut produire un vacuum à une température de zéro degré. Ce phénomène permet de chevaucher la lumière !) Le vacuum en question s'obtient, comme on le sait, à l'aide d'aimants.

Le tyran dont j'ai parlé possédait des avions conçus d'après une telle information. Celle-ci lui avait été transmise par les *Illuminati* à qui il avait juré de s'en servir pour éclairer le monde. Au lieu de cela, il arriva ce qui arrive toujours quand la vérité tombe aux mains d'un inconscient affublant une image. Le contrôle du monde et la gloire devinrent son obsession. Sa chute devenait inévitable.

Le pouvoir ne s'obtient pas en détruisant des êtres humains. Pourtant c'est ce que fit ce tyran, et ce, sur une large échelle.

Votre gouvernement lui subtilisa des documents très importants. De grands savants de son pays et du Pays de l'Ours appelé Russie furent enlevés. Ces savants étaient de la descendance des *Illuminati*. Ils furent amenés dans votre pays afin de poursuivre la conquête de la gravité.

Dès la première moitié du XXe siècle, vos dirigeants savaient comment transmuter la matière. Ils avaient déjà effectué plusieurs expériences en ce sens, à l'aide de grands bateaux de fer faisant la navette d'un port à l'autre.

Ils allèrent même jusqu'à utiliser un cuirassé chargé d'armes et de gens. Son ventre fut rempli de génératrices produisant une force magnétique qui créa le vacuum, lequel engendra une température de zéro degré et permit une élévation des vibrations du bateau tout entier et de son équipage. Ils furent transportés en un autre lieu, en un autre temps !

Ce fut un succès. Malheureusement, les participants de cette expérience furent enfermés. Et de crainte qu'ils ne parlent, leur esprit fut anéanti.

Entre-temps, les membres de votre gouvernement ont conçu leurs propres appareils. Ils sont capables de défier les lois de la gravité. Ils peuvent voyager tout droit sur une ligne d'énergie, fruit de leur création. Bien que leurs exploits semblent fantastiques et qu'un bon nombre d'entre eux ne vous soient pas connus, leurs pouvoirs sont encore très limités.

Ils allèrent encore plus loin. Dans le but de perfectionner leurs propres appareils, ils s'emparèrent des vaisseaux de vos frères; ils détinrent des vaisseaux qui étaient entrés en collision dans la stratosphère et s'étaient écrasés en morceaux. Ils conservent aussi des corps de certains de vos frères d'un autre monde, corps qu'ils retirèrent des vaisseaux en question. Grâce à la technologie et l'ancienne alchimie, il leur fut possible de transmuer certains de vos métaux connus, ceux dont les météorites sont composés, afin d'améliorer leurs avions.

Votre gouvernement est bien conscient que la terre est assiégée et qu'elle est sous surveillance.

Votre armée vous cache les faits réels concernant ces êtres extraordinaires. Quiconque a eu un rapport avec le vaisseau du gouvernement ou ceux d'un autre monde a invariablement été humilié publiquement.

Quelle est la raison de cette attitude, tandis que tout votre argent sert à la création d'une navette spatiale ?

Il faut comprendre les mécanismes de la conscience. Ils ont toujours réussi à vous contrôler en vous faisant tous travailler à une merveilleuse cause. La cause en question consiste en une fusion économique collective dans l'espace. Ils vous diront que c'est votre contribution à la création de remèdes pour le cancer et le fléau du sida. Ils vous diront que votre travail sert à soutenir leurs missions. Ils vous diront que cela leur permet de créer des succédanés formidables qui vous faciliteront la vie, tout en aidant la terre. En somme, ils vous diront n'importe quoi !

Ainsi, ils vous tiennent occupés, l'échine recourbée. Ils continuent de vous taxer. Ils vous saignent de vos dollars utilisés à un programme qui soutient les efforts d'employés grassement rémunérés. Ce stratagème maintient votre gouvernement au pouvoir et vous fait perdre votre concentration !

Ils font miroiter cette cause devant vous, un peu comme on brandirait une carotte devant le nez d'un lapin. Et pendant tout ce temps, ils font l'aller-retour sur la Lune, en moins de temps qu'il ne faut pour le dire !

Que vont-ils faire de vous ? Comment peuvent-ils justifier la simplicité de leur système ? Ils ne vous demandent pourtant pas une forte somme. Comment vont-ils vous mater ? S'ils ne peuvent vous taxer, comment vont-ils vous contrôler ?

Réveillez-vous !

Même si votre gouvernement a dans son sac quelques astuces ingénieuses, il ne sait pas comment contrôler le temps. Plusieurs de ses petits projets se sont tout simplement évanouis. Pouf !

Permettez-moi de vous demander ceci. Comment une personne linéaire réagit-elle face au temps linéaire, alors que le temps n'existe pas ? Les membres de votre gouvernement ne pourront pas s'emparer de ce secret. Par conséquent, ils continueront leurs petits projets; leurs navettes iront et reviendront, sur un rayon de lumière.

Ils ne se rendront pas de si tôt sur la planète de feu. Ils continueront d'organiser des expéditions à la découverte de lointains espaces. Leurs engins exploseront et en un clin d'oeil, ils ne seront plus. Ils ne réapparaîtront que deux ou trois siècles plus tard, parce qu'ils ne savent pas contrôler le temps. À moins de savoir comment contrôler le temps, le fait de pouvoir élever le degré vibratoire d'un appareil et de pouvoir le poser ailleurs ne sera pas de grande utilité.

Examinons la situation. Si vous ne vous êtes jamais rendus au-delà du Soleil, comment pouvez-vous établir les coordonnées qui vous permettront de vous y rendre ? En faisant une approximation de ces coordonnées et en empruntant l'hyperespace pour parvenir à destination, vous vouerez vos créations à une disparition certaine. Les engins reviendront dans deux ou trois siècles, et atterriront dans votre cour !

Vos militaires sillonnent les cieux dans leurs appareils, à l'affût de regards indiscrets. Plusieurs personnes innocentes ont subi des lobotomies. Leur vie a changé du tout au tout, à la suite d'un accidentel regard vers le ciel. Elles sont devenues amnésiques; leur mémoire n'est plus très docile. Tout cela parce qu'elles ont eu connaissance des projets gouvernementaux.

Quant à moi, je ne suis pas très impressionné par leur équipement ou leur attitude concernant la technologie. Comprenez-le bien, on leur a donné tout juste ce qu'il faut d'information pour s'amuser. Bien sûr, le fait qu'ils puissent transformer la matière est formidable. Mais ils sont incapables de l'emporter sur le «temps», et c'est leur plus grand défi.

Si donc vous voulez apprécier votre gouvernement pour les taxes qu'il vous impose, appréciez le temps. C'est le seul «temps» où le temps devrait vous rendre heureux !

Les Hommes Gris (des tyrans qui contrôlent l'argent à l'échelle mondiale) doivent s'imaginer qu'ils peuvent poser cet engin sur la face cachée de la Lune, si les choses s'enveniment. Ils doivent s'imaginer pouvoir revenir d'ici deux ou trois siècles, quand leurs bons du Trésor ne signifieront plus rien. C'est un clin d'oeil aux lecteurs avisés de mes précédents ouvrages, que je vous recommande de lire*.

Ces Hommes Gris savent qu'il existe dans les cieux d'authentiques vaisseaux. Mais leurs occupants, ces maîtres de la dissimulation, sont capables de convaincre l'observateur qu'il était hystérique et que ses yeux le trompaient. Ils l'ont fait à maintes reprises. Les gens les plus puissants du monde ont vu un grand vaisseau et s'en sont étonnés. Certains imbéciles sont allés jusqu'à élaborer un plan d'attaque, dépêchant leurs petits avions pour les pourchasser.

Vous ne pourrez pas les abattre. Techniquement parlant, vous n'êtes pas encore équipés à cette fin. Vous n'en avez pas le pouvoir. Il existe des secrets que les sages n'ont jamais révélés; ils en détiennent plusieurs. Ce n'est pas sans raison si une poignée seulement de gens merveilleusement éclairés ont été gratifiés du génie technique. En fait, ils ont l'intelligence du magnétisme, de la gravité et de l'antigravité. Et cette information a été transmise avec précaution. En empêchant que la vérité sur la physique et les mathématiques ne soit pas entièrement découverte, même par ordinateur, ils travaillaient en votre faveur.

La raison de leur circonspection est bien évidente. L'information qu'ils détiennent peut, entre les mains d'un gouvernement à la conscience arriérée, devenir dévastatrice. Et, encore une fois, une civilisation de plus pourrait tomber.

Voici ce qu'il vous est important de savoir. Que vous entriez en contact avec un vaisseau gouvernemental ou avec

_____

* Ramtha fait allusion à «La dernière valse des tyrans» publié en français par Louise Courteau, éditrice inc. (Montréal, Canada)

un frère de l'espace, votre gouvernement tentera de mettre la main sur vous. Il n'ignore pas leur position. Il peut retrouver leurs vaisseaux et en repérer les coordonnées, quand cela lui est possible. Mais la tâche lui est de plus en plus difficile, car les contacts sont maintenant très nombreux. Le nombre des témoins d'un phénomène quelconque ou des bénéficiaires d'une expérience est effarant.

Les contacts avec vos frères de l'espace, qui surviennent parce que vous les avez mutuellement et intentionnellement souhaités, vous donnent l'extraordinaire opportunité de voir la connaissance à l'oeuvre dans toute son ampleur.

Vous verrez un vaisseau apparemment dépourvu d'engin, capable de se maintenir «immobile» au-dessus de vos têtes, sans émettre un seul son. Pouvez-vous vous imaginer faisant une telle expérience, vous baladant dans l'un d'eux, faisant partie de ses occupants ?

Pour la plupart, ce ne serait pas possible. Votre constitution ne pourrait tolérer la vitesse de la lumière. Votre degré d'équilibre et la substance dont votre corps se compose empêcheraient la grande majorité d'entre vous de se conformer aux lois indépendantes qu'ils appliquent en vol. Ils effectuent un virage à angle droit à une telle vitesse que tout vous semblerait flou. Vous pourriez voler s'ils s'en tenaient à décrire des lignes et à faire de grands cercles. Vous pourriez probablement vous élever ou descendre, mais pas trop rapidement. Votre environnement ne vous a pas préparés à de tels excès. Mais vous aurez la chance de voir un grand vaisseau qui compensera vos lacunes et vous transportera très lentement.

Toutefois, ne vous imaginez pas qu'on vous conduira quelque part. Ne pensez pas qu'on vous entraînera à toute vitesse vers une autre galaxie pour que vous y viviez éternellement heureux. Le ciel, ce n'est pas cela.

Disons simplement que vous atteindrez un endroit digne de l'expérience que vous ferez, pour votre propre bénéfice et pour que vos enfants puissent expérimenter la même chose dans le futur. Votre gouvernement n'y pourra absolument rien. Car lorsque ces créatures décident de votre sort, rien ne les arrête. Et rien ne peut arrêter leurs superbes vaisseaux.

Mais ce n'est pas — et ne doit pas être — une idylle avec un vaisseau de lumière. C'est une idylle avec la connaissance. Votre histoire d'amour doit consister à acquérir les connaissances et les aptitudes techniques nécessaires à la compréhension des lois pertinentes. Apprendre à étudier celles qui régissent la force centrifuge, la gravité et l'antigravité, voilà en quoi consiste votre idylle.

Vous rappelez-vous l'histoire du génie et des voeux ? Si un génie vous apparaissait et vous offrait trois voeux, que feriez-vous ? Vous contenteriez-vous simplement de formuler vos trois voeux ? Ou seriez-vous suffisamment intelligents pour vouloir être le génie ? Demandez de devenir le génie ! Ainsi, vous n'êtes plus limités uniquement à trois souhaits. Vous pouvez créer tout ce que vous voulez, aussi longtemps que vous le voulez. Comprenez-vous la différence ? Si oui, vous comprendrez que vous pouvez expérimenter davantage que celui qui veut simplement profiter d'une balade dans un grand vaisseau.

Il existe un autre aspect important à cette balade en vaisseau. Ces engins ne sont pas de toute sécurité. Il faut le comprendre. Tout vaisseau actionné par magnétisme dans un vacuum génère une certaine quantité de radiations. Et pour des êtres humains de chair et de sang, la proximité d'un tel environnement n'est pas toujours ce qu'il y a de plus sûr. Si le sol est brûlé et que la vie refuse de pousser, à la suite d'un atterrissage, c'est pour la même raison. C'est un effet secondaire de leur technologie. Toutefois, cela ne les incommode aucunement.

Songez-y ! Vous ne tenez pas vraiment à ce que tous ces vaisseaux et leurs occupants viennent atterrir dans votre cour. Vous ne voudriez pas de certains d'entre eux. Si ceux-là vous visitaient, vous ne verriez peut-être pas se lever le lendemain ! Dans votre Livre des Livres, il est question de l'arche d'alliance. Il y est question du mont des Oliviers, du Tonnerre de Dieu et de ceux qui ne pouvaient pas entrer en sol béni ou s'approcher de celui-ci. C'était à cause d'un vaisseau qui émettait beaucoup de radiations. L'arche d'alliance était tout simplement un condensateur de radiations et un tire-laser. Elle était utilisée pour mettre les armées en échec. Seuls les Nubiens pouvaient transporter l'arche, car ils étaient immunisés contre les radiations qui s'en dégageaient.

Un jour, quand la conscience de l'humanité sera mûre, vous serez témoins d'une chose merveilleuse. Vous verrez un escalier conduisant à l'émerveillement. À elle seule, cette expérience vaudra dix millions d'explications.

Votre intelligence
— et votre capacité d'intelligence —
vaut bien celle des habitants
de n'importe quelle galaxie ou dimension.
Vous possédez les clés vous donnant accès
à tout cela.

Ne vous contentez pas de temps partiel;
soyez un dieu à temps plein.
C'est la condition préalable pour avancer et
progresser,
pour éliminer les restrictions et les limitations
vous empêchant d'être
tout ce qu'il vous est possible d'être.

CHAPITRE 6

La vie est présente partout où des conditions de vie existent, partout où la matière peut être créée

L'information que je vous ai donnée au sujet des trois groupes principaux d'extranéens doit vous suffire pour le moment. Il en existe d'autres qui n'ont jamais établi de contact ici. Ces groupes sont encore à un stade primitif d'évolution; ils commencent à peine le voyage, à leur manière. La vie est présente partout où existent des conditions de vie, partout où la matière peut être créée. La vie étant présente, l'esprit s'animera et les humains évolueront selon leur environnement. Vous progressez selon votre milieu de vie. Vos fibres cachent autre chose que des attitudes moralistes.

Il est vrai qu'on vous a enlevé votre matière génétique. Ils ont pris votre semence pour créer de merveilleux êtres humains, des hybrides en quelque sorte. Si c'est ce que vous qualifiez de viol, celui-ci a cependant un aspect positif. Il a engendré la vie, et cette vie est chérie, non gaspillée comme c'est le cas sur votre terre.

Génétiquement parlant, votre semence produit une vie explosive. Ces créatures savent comment l'extraire; ils savent comment implanter certains attributs qu'ils souhaitent voir dans l'arbre de connaissance d'un corps. Ils savent comment extirper vos impuretés génétiques pour les remplacer par de la pureté. D'ici les quatre prochaines années, un des *Illuminati* transmettra cette science à l'un de vos physiciens. Cela vous sera enseigné.

Les enfants pourront entrer sur ce plan d'après leur propre processus de sélection; ils pourront déterminer la structure de leurs gènes. La maladie n'existera plus; elle aura été extirpée au niveau des gènes. Une attitude pure dans un corps pur sera désormais possible.

Bien qu'ils aient été porteurs de maladie, certains se sont quand même fait prendre leur semence. On en a prélevé un échantillon pour en faire l'examen. Cela n'a pas empêché la vie de fleurir ailleurs.

La vie, c'est la vie.

La source de vie, force vitale, découle du principe originel. On peut comparer le sperme de l'homme à une rivière qui s'écoule et les entrailles de la femme, au nid de quelque oiseau fabuleux.

La force vitale, c'est la force vitale. Et l'utiliser pour créer la vie est l'objectif le plus moral qui soit. Dans votre société, plus personne n'a de respect pour la vie. Il existe cependant des sociétés affamées de cette semence que vous gaspillez et elles s'en emparent. Elles pensent qu'elles sont en droit de le faire. Participant à la force vitale en pleine connaissance de cause, elles comprennent qu'elles la partagent; elles comprennent que la lumière est un don commun à tous.

Savez-vous que c'est un honneur d'être en vie, et ce, malgré la léthargie, la lenteur, l'épaisseur et la densité de votre corps ? Savez-vous que c'est un honneur d'assumer consciemment cette densité ? La Conscience est Dieu. Mais un dieu qui s'ignore, c'est ennuyant. Un CELUI QUI EST endormi, ça ne vaut rien. Il lui reste encore à devenir toutes choses potentiellement.

Votre vie implique plus que de vous asseoir à table, attendant que la nourriture passe d'une extrémité à l'autre. Messieurs, votre vie implique plus que de répandre votre semence et d'empoigner un sein. Mesdames, elle implique plus que votre tenue vestimentaire !

La vie, c'est la force. C'est ce qui appelle, illumine et accélère l'émergence d'univers inconnus. La force vitale c'est Dieu, quelle qu'en soit votre perception. Et votre engagement conscient est un privilège.

Pouvez-vous vous imaginer dans une autre colonie, en train d'utiliser les femmes et les hommes à des fins de reproduction et traitant sa progéniture comme un trésor inestimable ? C'est inconcevable pour vous, n'est-il pas vrai ?

Songez combien la vie est précieuse puisque d'autres ne ménagent rien pour se l'approprier. Dans votre environnement, ils risquent leur vie. Aux seules fins de se procurer la vie, il leur faut s'astreindre à la clandestinité. Durant ce temps, la religion sur votre plan tente de la supprimer et de l'enlaidir. Ainsi, la sexualité engendre la haine mutuelle, laquelle engendre la décadence, laquelle engendre la maladie.

La sexualité est la force vitale. Voilà ce que c'est.

Pouvez-vous vous percevoir, dans votre croissance d'être humain sur ce plan, comme étant davantage qu'une entité qui éjacule, qui copule ? Pouvez-vous vous imaginer plutôt comme étant la vie ? Pouvez-vous vous imaginer tirant satisfaction du simple fait de participer à la vie, du simple fait d'être ?

Le sujet que nous traitons n'a rien à voir avec vos efforts pour atteindre l'orgasme. Nous parlons ici de création. Autrement qui s'intéresserait à ce grain de poussière avec son soleil jaune aux confins de cet univers ? Pour quel autre motif se soucierait-on de cette terre munie d'une seule lune ? Pourquoi ? À cause de la vie. Vos composantes génétiques sont nécessaires en d'autres lieux.

Cela ne signifie pas que vos frères de l'espace n'aient rien à partager. Ils se sont constamment tenus en contact avec les âmes éclairées, partageant avec elles leur savoir technologique. Et ils ont, bien sûr, des boules de cristal leur donnant accès à la spirale du temps pour connaître le futur.

Savez-vous que le temps a déjà pour ainsi dire déroulé sa spirale ? Les prochains dix ans se sont déjà produits; vous languissez tout simplement dans le passé. Vos frères, ayant l'intelligence de ce concept, ont partagé la connaissance future qu'ils avaient des prochains dix ans avec quelques individus aptes à l'entendre.

Parmi eux se trouvait une femme étonnante. Elle était membre de la société secrète. Elle fabriquait de la poterie sous les auspices de son époux, car les femmes n'étaient pas autorisées à travailler en public. Pour cette raison, elle était reléguée à la cave, tandis que son époux vendait le fruit de son labeur sur la place du marché. Du matin au soir, elle faisait des urnes magnifiques qui allaient plus tard devenir la fierté de la Crète.

Cette modeste femme ne savait ni lire ni écrire. À l'époque, l'écriture était représentée par des hiéroglyphes. Un jour, un mystérieux étranger ou messager lui apparut à l'entrée de la cave où elle se cachait, faisant des urnes. Cet homme était très grand et très éloquent. Il entra et s'assit sans mot dire. À l'instant, la caverne se remplit de lumière. L'argile commença à sécher sur les doigts de la pauvre et misérable femme. Quand la lumière se fut dissipée, l'étranger partagea une herbe avec elle, sortit de la caverne et disparut. À partir de ce jour, elle compta au nombre des *Illuminati*. Des secrets lui furent révélés, à cause de son ouverture d'esprit. En un instant lumineux, tout le savoir de cet étranger lui fut transmis. Elle passa à la légende.

De mystérieux visiteurs se présentaient souvent chez elle. Ils s'asseyaient avec elle, partageaient une herbe et s'en retournaient ensuite. Elle continua de faire de la poterie pour son époux et celle-ci devint très populaire dans l'île de Crète.

Chez un petit nombre d'entre vous, c'est ce qui se produit. Cela ne veut pas dire que vous deviendrez les «channels» de quelque dieu d'une autre planète. Ce n'est pas ce que je veux dire. Cela signifie que les gens sont choisis en fonction de leur profonde simplicité. Cette connaissance est toute simple; c'est la connaissance d'une civilisation en train de se reproduire.

Ces entités sont ici pour vous enlever une vie qu'elles apprécient plus que vous. Elles souhaitent aussi partager leurs connaissances avec vous, à condition que vous soyez prêts au partage.

Certaines d'entre elles sont loin d'être amicales; leurs vaisseaux peuvent à coup sûr causer la mort. Mais au moment propice, vous pourrez entrer en contact avec elles. Cela fait partie de votre apprentissage.

Les instigateurs du dogme religieux sont des aliénigènes. Pourquoi certains de ces anges, si je puis dire, vous enchaîneraient-ils à une kyrielle de dogmes tyranniques qui, au cours de l'histoire, n'engendrèrent que tueries massives, bains de sang et ignorance ? Pourquoi auraient-ils suscité cette ère qu'on devait surnommer l'âge des ténèbres ? Pourquoi la religion aurait-elle servi à vous asservir ? L'unique raison de cette conduite était de rassembler les descendants et de leur donner des lois pour gouverner leur vie. Ils voulaient qu'ils aient une moralité leur permettant de se ressaisir et de se rappeler le respect de la vie. Si certaines personnes ont été choisies au cours de l'histoire, c'est grâce à leur profonde simplicité, leur compréhension fondamentale et leur respect de la vie.

Regardez comment vous viviez en ce temps-là. Vous violiez vos enfants; vous copuliez avec le bétail, les moutons et les chiens. Des millions d'oiseaux exotiques furent massacrés parce que vous pensiez que leurs langues étaient aphrodisiaques. Ces civilisations semblent avoir «disparu» de votre histoire. Durant ces époques tragiques, les entités de haut niveau apparurent à plusieurs reprises à des gens simples pour leur livrer une vérité tout aussi simple. Elles vous donnèrent des lois. Les gens mus par la peur s'y conformèrent. Lorsqu'une conscience était au bord de l'effondrement, les entités de haut niveau sont venues enseigner la moralité et la responsabilité spirituelle. C'est la raison de leur présence.

Les esprits étroits confondirent cependant vérité et religion. Ils utilisèrent cette vérité de concert avec le dogme pour assassiner le monde. Répression et tuerie, voilà à quoi servit le dogme. Pourtant, la vérité fut communiquée à l'origine dans l'intention de la faire circuler, pour empêcher la conscience humaine de s'effondrer et de mourir.

Il existe un monde parallèle à celui-ci, une dimension que le mythe appelle le monde astral. (Ce n'est pas le bon terme, au fait. L'esprit y est présent.) La conscience, sur ce plan, ressemble à une grande pièce de soie pliée. Elle est pliée de façon si serrée que la lumière a du mal à passer. Des gens comme vous, des gens dont la conscience s'est effondrée, y sont endormis. Dans la réalité qu'ils se sont créée, leurs croyances personnelles sont responsables de leur effondrement. Ils y attendent un sauveur. Ils ne pourront vivre une autre existence physique ici que lorsqu'ils auront été sauvés. Comme leur sauveur doit correspondre à l'image qu'ils s'en font, ou celle représentée sur le mur de leur chambre juste avant de mourir, ils sont toujours en cet endroit. Il faut que «l'image» soit parfaite pour qu'ils puissent croire. Leur incapacité à élargir leur conscience équivaut à une mort spirituelle. Leur maison s'est écroulée. Ils ont tous un profond sentiment d'indignité. Et parce que chacun crée effectivement sa propre réalité, la loi de leur réalité veut qu'ils ne se réveillent que lorsqu'ils en seront dignes !

Et qu'avez-vous appris à ce sujet ? Que le mérite vient de l'intérieur et qu'il doit être expérimenté, selon vos lois. Demandez-moi maintenant à quel point la conscience est importante ! Voilà comment c'est important. Les gens dont il vient d'être question ont vécu à ce niveau des millions d'années, selon votre notion du temps, à votre niveau. Ce sont des morts en esprit, c'est-à-dire que leur conscience est morte.

Il est donc essentiel que Jeshua ben Joseph ressemble au portrait. L'image que vous vous en faites doit correspondre en tous points à ce portrait; autrement, vous ne croirez pas. Ses vêtements doivent refléter exactement la vision de l'artiste; il faut qu'il ait une barbe et des cheveux bruns, même si ce n'est pas le cas. S'il changeait d'apparence, ce serait le diable personnifiant Jeshua ben Joseph. Votre esprit fonctionne de cette façon.

Soyons honnêtes. Si nous voulons que les masses ignorantes s'exécutent, nous devons représenter Marie. Connaissez-vous la Mère de Dieu ? Bien entendu, si le message ne vient pas de la bouche d'une mère, personne ne croira ! Et s'il faut présenter une mère, celle-ci ne devrait être nulle autre que la Mère de Dieu. C'est on ne peut plus sérieux ! Par conséquent, la Mère de Dieu a la tâche de transmettre un message aux masses ignorantes. Seuls Marie et Jeshua ben Joseph peuvent accomplir cette tâche. Et ceux-ci doivent être conformes aux images; sinon, on vous aura annoncé des imposteurs.

Donc, Marie est très affairée à cause de l'image. Quant à Jeshua ben Joseph, il ne descend de la croix que pour apparaître à certains messagers de la vérité. À quelques altérations près, la vérité devra toujours demeurer dans le contexte séculaire de la Tradition. Comprenez-vous le message que cachent mes paroles ?

Un ange du nom de Moroni apparut à un groupe de gens. Il leur dit de se rassembler et de quitter la région. Il leur ordonna de s'isoler en un lieu inculte, et ce, dans le but de faire d'eux des descendants. Cette tentative échoua elle aussi. Vous ne pouvez vous dire éclairés, si vous traitez les femmes comme on traite du bétail et si vous interprétez la parole à votre avantage personnel. C'est ce qu'ils ont fait. Cela leur a été bénéfique en ce sens qu'ils sont parés à tout événement futur. Certains d'entre eux pourront au moins survivre.

Mais ils seront quelque peu déçus car, dans les temps futurs, les masques tomberont et les gens verront clairement ce que la vérité a toujours été. Avant de pouvoir regarder la vérité bien en face, il faut se débarrasser des images et des attentes que ces images reflètent. C'est important. Autrement, la vérité est étouffée, filtrée et vous n'en obtenez qu'une partie infime.

Vous avez choisi de vivre des moments excitants.

Avant de partir explorer sous les roches,
parmi les buissons et les ronces,
il faut d'abord vous découvrir vous-mêmes.

PARTIE II

L'INTELLIGENCE INTERDIMENSIONNELLE
OU
UN CONTACT À YUCCA VALLEY

La Conscience, c'est le tout en tout.
Elle est en vous.
Vous n'avez pas à devenir Dieu;
vous l'êtes déjà.
Il faut brûler l'image
afin de comprendre ce qu'est la Conscience
Elle est éternelle
et tous ses rejetons en dépendent,
y compris les aliénigènes.

CHAPITRE 1

La vérité et l'intelligence interdimensionnelle

La vérité est une expérience subjective comprise en fonction d'une relativité personnelle. Nous avons tous une vérité différente. Chacun de vous cependant lit ce livre pour comprendre ce qui lui apparaît comme la chose la plus importante de sa vie et comme lui étant due. Il y a toujours eu des protecteurs d'une vérité qui crée un continuum. C'est ce qu'on pourrait appeler une semence de vérité. À travers chaque civilisation de cette planète, des êtres ont su l'entretenir.

Cette vérité n'est pas révélée à tous, car tous ne sont pas prêts à l'entendre. Savez-vous que vous devez mériter le droit de vous imprégner de la connaissance ? Le fait que ce livre soit entre vos mains ne signifie pas pour autant que vous méritiez de vous approprier la connaissance. Vous devez avoir élargi les fondements relatifs à la vérité dans votre propre vie. Personne ne vous ferme l'accès à cette connaissance, mais vous devez mériter le droit de vous y abreuver. Et pour ce faire, il y a des qualifications préalables.

Certains d'entre vous ne méritent pas cette information. Pour le moment, elle ne cadre pas, dans leur propre vie, avec la «boîte» dans laquelle ils souhaitent la déposer. Ils s'approprient la vérité *à des fins personnelles* alors qu'elle est *objective*. Ils veulent en faire une affaire de valorisation personnelle, et cela n'a pas été voulu ainsi.

Ils veulent en faire une religion, un dogme. Ils veulent à la fois pouvoir s'en détacher et la transformer en religion. Le sujet traité n'a cependant rien à voir avec la religion. Cette dernière n'est qu'une misérable case dans laquelle les humains essaient de ranger tout concept de nature mystique dépassant leur entendement.

Ce qu'il vous faut absolument acquérir, c'est une intelligence interdimensionnelle. Pour entrer en contact avec une intelligence interdimensionnelle, il vous en faut d'abord une. Ne le savez-vous pas ? Et pour la posséder, vous devez préférer l'objectivité à la subjectivité. Pour pouvoir communiquer avec un bel esprit, vous *devez* avoir un bel esprit. Comment pouvez-vous comprendre quoi que ce soit d'un point de vue totalement étranger ? (Je dis bien étranger !) Vous souhaitez comprendre la semence de vérité transmise depuis des millions d'années. Vous devez vous en rendre dignes. C'est pourquoi vous devez changer votre perception du tout au tout et la rendre abstraite, impersonnelle. Autrement, votre propre réalité ne vous permettra de voir que ce qui vous est subjectif. Vous vous serez ainsi coupés d'une connaissance universelle, accessible uniquement à une poignée de gens. Il vous faut *mériter* le droit d'apprendre. Et ce mérite implique l'objectivité d'esprit face à la connaissance.

Durant cette vie et des milliers d'autres, vous avez cultivé une attitude subjective. Comment la renversez-vous ? Comment apprenez-vous à penser comme le ferait un aliénigène ? À moins que vous n'en soyez dignes, le contact n'aura pas lieu. S'il en était autrement, vous ne seriez rien de plus qu'une victime brutalisée. Plusieurs ne se rappellent pas leur expérience parce qu'ils ne pourraient pas comprendre. Par conséquent, ils ont été utilisés, manipulés, mais il n'y a pas eu d'échange réel.

Il m'a fallu dix ans sur le plan terrestre pour faire saisir aux gens que Dieu vit bel et bien à l'intérieur d'eux. Même en ce moment, plusieurs d'entre vous ont du mal à l'accepter. Si vous avez peine à croire en votre propre divinité, comment ferez-vous faire à votre conscience le pas de géant que requiert l'abstraction d'esprit permettant la magnétisation et l'égalisation d'un esprit identique ? C'est pourtant ce que vous devrez faire. Sinon, vous serez les spectateurs de quelque plan grandiose et superbement bizarre et vous finirez comme des spectateurs, non comme des participants.

Le tour de magie consiste à vous éduquer pour que vous cessiez de penser en termes de victime/maître ou de vengeance personnelle. Votre esprit doit apprendre à faire volte-face. De la sorte, vous ne vous exalterez plus; vous

vous percevrez plutôt comme des êtres interdimensionnels, capables d'un contact interdimensionnel.

Vouloir est le secret. Il vous faut vouloir posséder l'intelligence interdimensionnelle, au point d'en arriver à ce que votre propre petite cause ne veuille plus rien dire. Vos buts *personnels* ne doivent plus vous préoccuper. La rencontre d'un aliénigène ne doit pas être un collier de plus à votre cou.

Je vous dirai ceci : si vous êtes capables de vous rappeler ces paroles et de les appliquer simplement dans votre vie, peu importe où vous en êtes dans votre évolution, vous ferez des pas de géants dans votre propre cheminement. Souvenez-vous-en ! Vous créez votre réalité selon la perception de votre conscience. Votre vérité est égale à la compréhension que vous en avez. Ainsi, vous attirez à vous le reflet de votre vérité, de votre conscience. Je ne parle pas de la vérité de votre philosophie; cela ne veut rien dire. Je parle de la vérité que vous pouvez vivre. Vous attirez à vous la même chose. Et ceci vaut pour tous les degrés d'évolution, en partant du premier jusqu'au septième. C'est la marche à suivre pour atteindre l'intelligence interdimensionnelle. Ce que votre conscience véhicule, vous le créerez dans votre réalité. C'est aussi simple que cela.

Certains d'entre vous ne feront que voir un phénomène; d'autres expérimenteront un phénomène; d'autres auront un véritable échange. Cet échange ne peut avoir lieu si vous ne lui en avez pas tracé la voie dans votre conscience. Que signifie la voie lumineuse ? Ce n'est pas une voie au sens littéral du mot. C'est *l'expansion* de votre principe conscient, vous donnant accès à l'inconnu par une autoroute de réalité. Pour atteindre l'inconnu, il faut penser inconnu.

Je le répète, vous créez dans votre réalité ce que votre conscience véhicule. Outre votre vie personnelle, cela influence aussi l'extraordinaire et le bizarre. Et quand je dis bizarre, je fais tout simplement référence à l'inconnu.

Entendons-nous bien à ce sujet, je ne peux changer votre réalité, je n'en ai pas le pouvoir. Je suis puissant, bien sûr. Je peux faire bien des choses, il est vrai; mais je ne peux pas changer votre *réalité*. Je me contente de vous inciter à le faire. La réaction dépend de vous. Vous êtes les seuls à pouvoir dire : «Je veux apprendre». C'est vous qui faites l'expérience de vous imprégner de la connaissance et c'est donc vous qui en êtes récompensés. Une conscience en expansion l'emporte sur une réalité limitée car elle devient illimitée. Je ne peux pas faire cela à votre place. Je ne peux pas vous procurer une intelligence interdimensionnelle. Je peux vous transmettre l'information, vous enseigner la méthode pour y parvenir. Mais vous seuls pouvez changer la position de l'interrupteur et opter pour l'objectivité.

Ce que le futur vous réserve n'a aucun rapport avec les mots. Ces réflexions ne sont que des «mots». Les entités avec qui vous souhaitez communiquer n'emploient pas de mots. J'ai appris votre langage, afin de vous transmettre une pensée qui puisse vous inspirer et vous pousser à l'expérience. Beaucoup de ce qui vous est communiqué n'a rien à voir avec les mots. Ces entités ne parlent pas, si l'on se réfère à votre conception du langage. Elles pensent. Votre apprentissage doit donc s'orienter sur la *pensée* focalisée. La pensée est un langage qui transcende toutes dimensions. Elle surpasse le temps, la distance, l'espace et tous les autres niveaux. Apprendre à «penser», c'est apprendre à posséder l'intelligence interdimensionnelle.

Réfléchissez un instant. N'est-il pas logique qu'il vous faille savoir, afin de communiquer avec tout ce qui est connu ? La connaissance ne vous vient pas par la parole mais par la pensée. Et si ce que vous pensez est la vérité absolue, n'est-ce pas là votre passeport pour les étoiles ?

Ce que vous pensez. L'intelligence interdimensionnelle. Seule la pensée traverse tous les obstacles ! Une pensée. Une pensée n'est pas un mot. Les mots traduisent la pensée; ils sont l'expression déformée et limitée de la pensée.

Vous devez donc réapprendre à penser. Vous devez apprendre comment contempler le ciel de minuit et de cette contemplation une pensée naîtra. Cette façon de penser percera tous les voiles.

La pensée est le langage de l'esprit et elle est objective. Saviez-vous qu'une *pensée* égoïste n'existe pas ? Seul un *sentiment* égoïste peut exister. Saviez-vous qu'une *pensée* destructive n'existe pas ? Seul un *sentiment* destructif peut exister. La pensée est objective; c'est l'émotion qui la rend subjective.

Vous devez apprendre l'écoute intérieure, et cette écoute n'a aucun rapport avec les mots. C'est une connaissance. C'est un instinct. C'est une intense réceptivité. C'est pressentir la direction que prend le vent et regarder le ciel. C'est *savoir*. C'est une communication de niveau interdimensionnel.

Pour en arriver là, il vous faut passer de long moments dans un silence absolu. Vous devez vous taire, vous isoler, vous asseoir tout bonnement et être réceptifs. La réceptivité est l'élément clé, le déclencheur d'un contact. Vous pouvez essayer autre chose : faire un feu de joie, ériger une croix, vous tenir les mains et chanter. Vous pouvez faire tout cela, mais ce sera sans effet. Ce que vous voulez savoir ne s'apprend pas à un niveau de conscience subjectif. Cette connaissance doit vous parvenir de la conscience objective. C'est votre dieu intérieur qui s'extériorise.

Je ne suis pas ici pour vous parler de créatures bizarres, mais plutôt de civilisations avancées ignorant les conversations banales. Ne croyez pas que ces créatures vous apparaîtront dans les cieux et vous donneront un spectacle de lumière pour satisfaire votre curiosité. Une seule décharge d'un de leurs vaisseaux pourrait envoyer cette terre tournoyer indéfiniment dans l'espace. Cela n'a donc aucun rapport avec de petits bonshommes impatients de vous embrasser. Cela n'en a pas non plus avec votre certitude que leurs visites sont dues à votre mérite. Il est question de brillantes créatures avec qui le seul moyen de communication possible est votre ouverture d'esprit. Si vous pouvez instinctivement saisir les symboles, vous êtes aptes à capter leurs signaux et à les voir mentalement. Il est question de créatures qui ne peuvent communiquer avec vous que si vous en avez acquis le droit. Personne ne descendra vous voir sans que vous ne vous soyez attiré cette rencontre. Elles ont mieux à faire. Elles sont en constante activité.

Ne croyez pas qu'elles se montreront à vous uniquement pour vous prouver leur existence ou qu'elles vous promèneront en vaisseau en échange de quelque monnaie. Cette aptitude à comprendre et à échanger, vous devez vous l'attirer. Elles ne viendront pour aucune autre raison.

L'intelligence interdimensionnelle vous pousse à désirer savoir. L'ouverture d'esprit n'a rien à voir avec la superstition, pas plus qu'avec vos peurs, votre religion, vos reliques ou votre nationalité. Un esprit ouvert est capable de foncer dans l'inconnu, sans attentes quant à son identité, son apparence ou au bénéfice qu'il pourrait en retirer.

Si vous saviez toutes les créatures qui vivent uniquement à l'intérieur de votre univers connu, vous en seriez renversés ! Celles qui vivent en dehors de celui-ci, vous les trouveriez laides, selon vos standards de beauté. Toutefois, leur âme révèle un Dieu accompli. Elles sont la force vitale. Nous parlons d'intelligences dépassant tout ce dont vous avez jamais rêvé. À mon point de vue, c'est Dieu. Au vôtre, c'est laid. Un esprit ouvert doit se dissocier de ce mode de pensée pour devenir interdimensionnel.

Un maître qui travaille à faire triompher le Christ en lui ne le fait pas seulement pour cette vie linéaire, mais pour toute vie. Vous devez faire disparaître les limitations et la superstition hystérique, afin que votre Christ puisse triompher. Au plus profond de votre être, vous connaissez le lien qui vous unit à l'éternité. Quand vous vous serez libérés de vos limitations, vous pourrez y accéder.

Jeshua ben Joseph avait atteint une conscience interdimensionnelle. Ainsi en fut-il de Bouddha, de Mahomet, de moi-même et de plusieurs autres. Mais là n'était pas notre but; cela faisait partie de notre évolution. Vous n'y parvenez pas si votre réalité est lacérée par le dogme, la superstition, la peur et les images que vous vous faites de toutes choses. Vous devez vous défaire de ces limitations pour acquérir l'intelligence interdimensionnelle.

Grâce à l'énergie,
votre pensée est créatrice.
Vous possédez en vous-mêmes
le plus remarquable des mécanismes,
la Conscience dans toute sa plénitude.
Vous avez le pouvoir d'engendrer la vie.
Quand ce pouvoir est évoqué délibérément,
il crée votre réalité.
Il vous suffit
de lui donner la forme désirée.

CHAPITRE 2

L'île de Pâques
et
Stonehenge

Sur l'île de Pâques se dressent 593 géants sculptés dans la pierre. Ils font 20 mètres de haut (66 pieds) et pèsent chacun 50 tonnes*. Tous ces personnages regardent en direction du ciel. Chacun d'eux représente un être humain. Ces êtres humains, au point culminant de leur évolution, pouvaient se rendre au-delà du soleil. Sachant que ce serait leur dernier accomplissement sur cette planète, ils gravèrent pour toujours leur effigie dans la pierre, en souvenir de ce qu'ils avaient été. Pour indiquer la présence de vos défunts, vous leur érigez bien un monument. Ils gravèrent une pierre à leur image, une pierre qui semble dire : «Non, je ne suis pas mort, je vis !»

Leur pierre devait être disposée de façon à contempler le ciel, et leur testament, leur livre, devait reposer au pied de chacune d'elles.

Cette petite île, maintenant située dans le milieu de l'océan, a déjà fait partie d'une masse de terre plus imposante. À l'endroit où ces pierres furent placées à l'époque, il n'y avait pas de carrière, pas de forêt. Il n'y avait que des buissons, de l'herbe et des prairies. Il n'y avait pas beaucoup de gens non plus, seulement une poignée.

D'où venaient la pierre et le bois ? Où allait-on chercher les esclaves pour mettre en place ces pierres géantes ? Je vous le demande !

Sur un plateau, il existe la réplique exacte de superbes animaux et de créatures ailées. Leur vue est si saisissante

---

*N.d.É.: «On a retrouvé en tout plus de six cent statues... plusieurs atteignent 9 mètres et plus... Une des sculptures inachevées de la carrière de Rano Raraku mesure plus de 20 mètres... son poids est estimé à 300 tonnes... Les statues de l'ahu d'Akivi furent redressées par l'archéologue américain William Mulloy et son équipe... chacune pèse six tonnes...» (Les hauts lieux et leurs mystères, Éd. Club France Loisirs/Éd. Fernand Nathan)

qu'on dirait qu'ils ont été ciselés d'en haut. C'est ce qui s'est passé. La rumeur veut qu'ils aient été créés comme un rite religieux. Je vous l'affirme, la religion n'existait pas en ce temps-là. Comment furent-ils créés ? Comment s'y est-on pris pour exécuter, à l'époque, un travail aussi précis ?

Il y a de majestueuses pyramides sur cette terre. Quelques-unes sont enfouies sous l'eau; d'autres, sur la terre. Une seule d'entre elles est restée inviolée, dissimulée dans les nuages. Ses pierres de quartz rose ont été taillées avec précision. Il n'existait pourtant aucune carrière de ce type de pierre aux alentours. Aucun arbre ne poussait à proximité. Pour soulever ces pierres et les déposer les unes sur les autres, n'aurait-il pas fallu une force incroyable ? Comment se fait-il que la disposition de chacune de ces pierres correspond à la formule mathématique pi ? Quel genre de civilisation aurait pu ériger une telle construction ? Sur cette planète, les hommes des cavernes de ce temps-là étaient avancés. Est-ce eux qui construisirent ces monuments?

À un moment donné, le pôle Nord et le pôle Sud étaient des lieux désertiques; et là où se situe votre équateur se dressaient de superbes montagnes. Sous leurs sommets neigeux sont ensevelis des temples d'une grande splendeur. Ornés de colonnes reluisantes, ils dépassent en magnificence ceux de la Grèce et de la Rome antiques. Les peintures qui ornent les murs sont à vous couper le souffle, incrustées qu'elles sont de nacre, de lapis-lazuli et d'or fin, sans trace d'inscription. À la vue d'un chef-d'oeuvre aussi extraordinaire, vous seriez forcés de vous demander : «Est-ce bien là une oeuvre de barbares ?» Et sous la glace en plus?

Dans un endroit froid et venteux, dépourvu d'arbres, il existe un cercle formé de pierres assemblées les unes contre les autres. Le mythe veut qu'un sorcier hante ces lieux. On ne sait pas exactement comment toutes ces pierres se sont retrouvées disposées là avec une telle précision. Certains pensent qu'il s'agit d'un cadran solaire ayant servi à des rituels. La religion devait certainement en être à l'origine. Pour quelle autre raison se serait-on donné tant de mal ? Seul Dieu vaut toute cette peine !

Qui érigea ce monument ?

Il y a 10 000 ans, une civilisation avancée peuplait la terre sur toute son étendue. Elle était dirigée par les maîtres les plus puissants et les plus remarquables que le monde ait jamais connus. Ils étaient au nombre de 13. Ils connaissaient et comprenaient la physique, la géométrie, l'espace, le temps et la distance. Ils comprenaient Dieu.

Ces êtres extraordinaires furent engendrés sur tous les continents, dont la plupart existent encore maintenant alors que d'autres sont sous l'eau. Ils s'occupaient d'instruire et d'éduquer la race résultant d'un croisement génétique moitié humain, moitié extranéen. Leur tâche était de sortir tout bonnement l'espèce de son état de survie et de lui faire prendre conscience de son immortalité.

On les appelait les Fils du Soleil.

Il y a 10 000 ans, ces maîtres donnèrent le signe de départ à une civilisation dont on ne voit plus que les restes aujourd'hui.

Vous n'avez retenu qu'une infime partie de ce qu'ils vous enseignèrent en ce temps-là. Ils vécurent ici durant 2 000 ans et ne connurent jamais la mort. Le mythe et la légende allaient plus tard leur décerner le nom d'archanges. En fait, ils furent les maîtres les plus illustres et les plus célestes que cette terre ait jamais portés. Ils vinrent dans le but d'enseigner, de répandre la connaissance, avant qu'un cataclysme ne frappe ce plan et n'en change radicalement la géographie, lui donnant l'apparence que nous lui connaissons aujourd'hui.

Ils eurent pour élèves les descendants des Ioniens qui, plus tard, engendrèrent les Grecs, qui inspirèrent ensuite les Romains, qui inspirèrent le monde. La Turquie et toute la Mongolie furent aussi inspirées par eux. Ces élèves étaient d'authentiques Chinois, habitants de Cathay, appartenant à l'une des plus anciennes dynasties et probablement l'une des plus civilisées au monde.

Ces élèves sont les 593 de l'île de Pâques qui, grâce à l'enseignement des maîtres d'il y a 10 000 ans, gravèrent leur effigie dans la pierre, levèrent leurs yeux au ciel et firent leurs adieux à cette planète. Ils vivent encore aujourd'hui. Pourquoi ne sont-ils pas ici maintenant ? Ils sont là.

Pourquoi auriez-vous besoin de tels enseignants ? À cause de ce gène dans votre arbre de vie qui tient à détruire le moi, la planète et votre vitalité. Qu'est-ce qui vous empêche d'être tout ce que vous pouvez être ? Qu'est-ce qui vous fait vous acharner à détruire, à anéantir cet organisme sur lequel vous vivez ? C'est toujours le même scénario qui se reproduit.

Après avoir enseigné à ce petit groupe qui transforma son esprit destructif en connaissance et en vérité, les maîtres disparurent. Peu après leur départ, à l'époque où vos montagnes Rocheuses étaient encore en formation, votre terre fut prise de convulsions qui durèrent 3 500 ans.

Ces entités gardent un oeil sur ce grain de poussière avec son soleil jaune aux confins de la Voie lactée parce qu'elles ont un investissement ici. Ceux qu'elles laissèrent derrière elles étaient les descendants de ces vieilles civilisations, leurs descendants. C'est à elles que revient la tâche d'apporter la vérité à chaque civilisation; c'est à elles qu'il appartient d'essayer de vous garder en vie, alors que vous insistez pour mourir.

Si elles essaient de vous maintenir en vie, c'est afin qu'un jour vous puissiez ériger votre propre monument et puissiez quitter ce lieu pour devenir un être interdimensionnel. Mais il vous faut vivre le temps nécessaire pour aller à l'école et apprendre à le faire. Il ne s'agit pas d'une école de civilisation. C'est une école qui enseigne une vérité défiant toute définition !

Pour vous, ces maîtres maintiennent beaucoup de choses en place. (On les appelle aussi les Constants.) Ils vous laissèrent un merveilleux héritage en enseignant à leur peuple comment faire une chose aussi étonnante que de sculpter, seulement par la pensée, leur image dans la pierre vivante. Ils lui enseignèrent comment déplacer cette pierre et défier par le fait même les lois de la gravité. Ces mêmes gens gravèrent aussi dans la pierre les tablettes contenant le récit de leur vie pour la postérité, afin que chaque civilisation puisse se rappeler leurs exploits.

Cette île et ses monuments survécurent à ce qui arriva sur cette terre. Ils subsistent encore aujourd'hui. C'est une île de géants, l'île de Pâques.

74

Qu'est-il arrivé à ces tablettes ? Elles furent copiées sur du bois et déposées au pied de chaque statue. Pendant des générations, les gens vinrent et copièrent textuellement le contenu des tablettes, perpétuant ainsi la vérité. Pendant des années, ils les remplacèrent fidèlement, les considérant comme des épitaphes. Puis, la religion prit de l'ampleur. L'île fut explorée au nom de l'Église et la moitié des tablettes furent brûlées; on jugea qu'elles étaient néfastes et inexplicables. L'autre moitié échoua dans les caves du Vatican, où elles gisent encore aujourd'hui.

Ces tablettes renfermaient la vérité. Elles vous révélaient votre identité, votre héritage et l'objet de vos aspirations. Elles écartaient toute notion de religion, car celle-ci n'existait pas. Il n'y a que la vie qui est Dieu.

Elles racontaient comment ces individus gravèrent leur propre image dans la pierre et comment ils transportèrent ces pierres là où ils les voulaient. Elles expliquaient que la direction vers laquelle le regard des statues était tourné correspondait à l'endroit où ces individus étaient allés lors de leur disparition. Et ces tablettes prédisaient leur retour.

Quelle sorte d'esprit peut s'emparer de la vérité et la détruire de la sorte ? Un esprit superstitieux ? Oui. Un esprit peureux ? Oui. Un esprit avide de pouvoir ? Oui. Un esprit en quête d'une image ? Oui.

Les entités que vous souhaitez rencontrer sont les ancêtres de ces maîtres. Elles vous ignoreront si vous êtes superstitieux, peureux ou limités dans votre perception. Si vos capacités se limitent à entendre, comprendre et croire uniquement ce qui correspond à votre idée de la vérité, pourquoi communiqueraient-elles avec vous ?

Les tablettes de pierre que renfermait également le remarquable Stonehenge en décrivaient explicitement la raison d'être. Durant l'âge des ténèbres, elles furent mises en pièces et jetées à la mer. On décréta qu'elles étaient l'oeuvre de Satan.

Les pyramides contenaient aussi des tables gravées dans le roc. Elles racontaient que des créatures étaient venues d'au-delà du Soleil pour enseigner la science de la vie. Il y eut plus d'une raison à l'érection des pyramides. L'élément le plus important, peut-être, est qu'elles aient été épargnées des assauts, malgré la violation de leur surface et le pillage de leur superbe pierre de faîte. Elles devaient triompher de tout et rappeler aux humains que la vérité réside en eux-mêmes.

Pyramide signifie feu au centre, ce qui veut dire que ce feu est en vous. Cet emblème de tous les temps vous encourage à ne pas oublier qui et ce que vous êtes. Il fait vibrer en vous des cordes sensibles.

On enleva les tablettes appartenant aux pyramides quand on changea le cours du Nil pour y ériger un barrage. Plusieurs tunnels disparurent; ils sont maintenant submergés. Mais il n'en sera pas toujours ainsi. Le cours du Nil changera de nouveau et les barrages aussi.

À vrai dire, la vérité a toujours été accessible. Avant de devenir vos frères sur le plan génétique, les civilisations ont vécu ouvertement ici; leur présence était évidente. Comme elles comprenaient l'importance de préserver la vérité, elles voulaient vous la faire connaître. Aujourd'hui, seuls quelques endroits vous donnent la possibilité de contempler la vérité qui s'y trouve. Car les écoles antiques et leurs écrits furent supprimés au nom de Dieu, de la religion et du pouvoir. C'est le sort qu'eut l'imposante bibliothèque d'Alexandrie, avec ses livres de science et de vérité. Alexandrie fut brûlée.

Votre planète aurait dû être réduite en cendres il y a 10 000 ans. Elle a subi de fréquents nettoyages. À un moment donné, une civilisation a disparu à la suite de la libération de l'atome. Saviez-vous que cette civilisation avait découvert, par l'alchimie, les propriétés énergétiques de l'atome mais ne savait pas comment les exploiter ? Saviez-vous que cela s'était produit auparavant ?

Votre atmosphère fut restaurée grâce aux boules de lumière verte mentionnées antérieurement. Il existe des êtres bienveillants qui vous observent constamment et s'occupent de vous. Ils veulent se faire connaître à vous, mais ils ne peuvent le faire si vous n'y êtes pas préparés. Vous devez être disposés à comprendre une vérité qui n'a rien à voir avec la religion.

Ces statues de pierre ne sont pas des masques servant à des cérémonies religieuses. Ce sont les monuments funéraires des vivants. Elles indiquent le lieu de départ de ces gens.

Quant à ces dessins ou symboles gigantesques qu'on peut apercevoir d'en haut, ils servaient de pistes d'atterrissage et de décollage. C'était en quelque sorte un aéroport. Cela n'a rien de religieux ! Où ces êtres sont-ils allés ? Ils sont partis avant les grands bouleversements de votre terre. Et ils sont de retour.

Encore aujourd'hui, il existe une conspiration contre ceux qui désirent connaître la vérité, cette essence relative; on essaie de leur faire perdre ce désir. Il se peut que la société paternaliste vous harcèle en disant : «De tout ceci, rien n'existe.» Eh bien, cela existe. Ces maîtres sont les anges de vos livres religieux. Ils vivent à travers la légende. Leur tâche était de vous civiliser, de vous enseigner, de vous donner une moralité et un but à poursuivre. Ils voulaient vous inciter à utiliser votre cerveau, au lieu de passer votre temps à vous autodétruire à cause de cette défectuosité génétique en vous. Ils ont essayé d'inverser ce processus.

Rien ne plairait davantage à ces entités qu'un échange avec vous. Mais vous devez le mériter en éliminant la conspiration psychique et en réalisant qu'elles sont authentiques. Elles existent bel et bien, mais pas pour votre divertissement. Ces êtres extraordinaires savent en quoi consiste l'immortalité; ils savent comment en doter la chair et le sang. Ils savent comment ouvrir votre esprit et vous élever. Et c'est ce qu'ils veulent faire. Je suis ici pour vous y préparer; c'est ce que je fais depuis un bon moment déjà. J'ai pour tâche de fracasser l'image derrière ces barrières que votre esprit écervelé a érigées autour de vous.

Ces êtres sont-ils authentiques ? Existent-ils ? Bien sûr qu'ils existent. N'ayez jamais l'ignorance de penser que vous êtes les seuls à exister et que vous êtes évolués, car vous ne l'êtes pas.

Personne ne viendra vous enlever dans un vaisseau spatial pour vous permettre de vivre ailleurs. Certains d'entre vous ont déjà vécu ailleurs. Quelques-uns font partie de la même lignée que ceux de ces civilisations avancées qui eurent la chance inouïe d'aller à l'école de l'un des 13 grands maîtres. Et d'autres ont l'heureuse fortune d'être de retour, afin de pouvoir apprendre d'un autre grand maître !

77

Je connais vos capacités d'assimilation. Car vous portez vos limitations comme on porte un vêtement, comme une victime porte son insigne. Je sais ce que vous pouvez apprendre. J'en connais quelques-uns qui iront jusqu'au bout du chemin, tandis que d'autres n'en auront ni la patience ni la persévérance. Ceux-là n'ont ni le temps, ni le désir, ni l'humilité de reconnaître qu'ils ne savent pas encore tout. Ils seront incapables de voir ou d'apprendre quoi que ce soit. Mais certains le pourront et cela implique apprendre à devenir abstrait.

Les 593 personnes dont l'effigie est gravée sur les statues de l'île de Pâques furent des êtres humains comme vous, fruits de l'union d'un homme et d'une femme. Ils eurent la chance, au cours de leur évolution, de tourner les pages du livre de la vie et ils y persévérèrent. C'est ainsi qu'ils s'attirèrent ces grands maîtres. La connaissance superbe qu'ils en reçurent leur permit de s'ouvrir et de créer dans la joie. Savez-vous qu'ils créèrent tous leur image dans une grande joie ? Ils connaissaient leur destination. Leur prochaine aventure était *là-bas*. Ils attirèrent à eux les maîtres qui allaient ouvrir leur esprit et les inciter à aller de l'avant. Ils quittèrent ces lieux avec leur corps; ils vivent encore aujourd'hui. Ils étaient comme vous, sauf qu'en eux la notion de limitation et le stigmate de la superstition étaient absents. Il se peut que votre dogme spirituel vous garde ici, tandis que d'autres font des progrès quelque part ailleurs.

La tâche la plus difficile à accomplir est de vous débarrasser de vos attitudes. Vous tenez à votre idée de la mort. Vous tenez à votre image. Vous tenez à votre stupide ignorance. Vous tenez à votre conception de l'esprit. Vous tenez à votre opinion quant à l'apparence de ces entités et tout ce qui les concerne. Vous tenez à vos petits rituels qui vous valorisent. Vos maîtres ont dû démolir tout cela. Vous devez arracher toute cette ignorance et vous en dépouiller afin de vous libérer de vos détritus.

Ces 593 individus étaient les élèves d'une école très avancée et ils s'en sont rendus dignes. Ils voulaient apprendre et, par conséquent, le vouloir créa une réalité. Cette réalité créa l'expérience, qui suscita un désir plus intense, qui engendra une réalité. Cette réalité créa une autre expérience. Et ainsi de suite.

L'intelligence interdimensionnelle permet l'apprentissage et l'acquisition de la véritable connaissance. Quand vous pourrez vous asseoir dans la nature, contempler le ciel nocturne dans une paix totale et permettre au dieu en vous de briller, il s'établira un lien entre vous et ces superbes créatures, car vous serez purs. La pureté résulte du fait d'avoir brûlé l'image, au point de pouvoir s'asseoir et faire connaissance avec un ciel nocturne.

Ces maîtres légendaires d'il y a 10 000 ans répandirent la semence de vérité et de connaissance dans des lignées génétiques, afin d'en assurer la propagation. Et s'ils gravèrent la semence de vérité dans la pierre, c'est qu'ils savaient que la pierre allait demeurer en dépit de tous les bouleversements de la terre. Ils savaient qu'un jour quelqu'un contemplerait, tout ébahi, l'un de ces géants et se demanderait : «Comment cela est-il parvenu jusqu'ici ?» S'ils laissèrent derrière eux ces statues, c'est pour ces individus qui ne voudront pas croire qu'elles ont été sculptées en l'honneur d'un dieu païen.

Oui, on a pris soin de vous, à cause de cet élément destructeur en vous. Oui, vous avez été protégés, parce qu'il le fallait.

En ce moment, votre terre se meurt. Personne ne veut faire les changements nécessaires. Mais il est impérieux que vous preniez position ! Ces entités le savent et elles sont en train de rassembler quelques humains, les inspirant et semant en eux les germes de la connaissance; elles savent ce qui s'en vient. Et dans la lignée génétique de l'âme humaine, à ce niveau, cette semence de vérité ne sera jamais perdue.

Certains quitteront cette planète, il est vrai. Ils sont prêts au départ. Il est possible qu'ils ne *veuillent* pas partir, mais ils y sont *prêts*. Cela fait partie de leur évolution. Un jour, ils auront tout simplement disparu. Personne ne saura où ils sont allés, à moins qu'eux aussi n'aient gravé leur image dans la pierre et ne l'aient laissée quelque part, contemplant le ciel. D'autres grandiront en sagesse et seront témoins du prochain pas que fera la terre dans son évolution. Vous êtes peut-être de ceux-là.

Espérons, dans votre intérêt, que vous pourrez opérer, d'une façon ou d'une autre, un revirement de votre esprit écervelé, vous isolant et laissant entrer la pensée communicatrice. Espérons aussi que certains d'entre vous feront grandir leur conscience pour leur permettre de susciter une réalité, bizarre peut-être mais non moins formidable. Et espérons pour vous que votre démarche soit sérieuse. Sinon, vous serez laissés à vos superstitions, à vos dogmes et à vos polarités. Vous serez laissés à vos petits rituels qui vous sécurisent. Et vous continuerez à mettre le moteur de votre voiture en marche, à utiliser le plastique que vous jetterez encore au rebut, et vous serez anéantis avec cette terre, *à moins que vous ne changiez.*

Pour vos frères, il ne s'agit pas d'être les gardiens d'un jardin d'enfants, mais plutôt de s'occuper de former quelques âmes splendides. Ils ne tiennent pas à prendre soin de vous. Ils veulent que vous vous débarrassiez de l'élément destructif qui vous habite et entrave votre évolution. Vous possédez un esprit capable d'être interdimensionnel. Ils veulent que vous grandissiez, que vous sortiez du dogme et de tout ce fétichisme spirituel, pour devenir comme il se doit des êtres illuminés.

Bien que ces êtres sublimes aient conçu l'idée de religion, leur activité n'a rien de religieux en soi. Ils inspirèrent les anges qui conduisirent un peuple au désert, lui demandant de commencer une nouvelle vie. Ils lui donnèrent des principes fondamentaux pour gouverner sa vie. C'est ce qu'ils firent à travers les âges, afin de vous sortir de la pestilence et de l'ignorance. Ils s'acharnèrent à sortir la créature primitive que vous étiez de sa caverne. Ils tentèrent de l'empêcher de ramper comme un sauvage; ils obtinrent qu'elle marche debout et lui donnèrent un but à poursuivre. Ils lui insufflèrent le concept de Dieu, un Dieu qui était dans les cieux. Tout ce stratagème était nécessaire; votre esprit en avait besoin pour avancer. Il n'avait cependant rien de «religieux». Il fut conçu pour vous faire éclore, et c'est tout ce que nous faisons ici.

Vous ne devez pas essayer de comprendre l'intelligence interdimensionnelle. Vous devez *être* celle-ci, tout simplement. Cela se produit lors d'une pensée pure. Et pour y parvenir, il vous faudra changer du tout au tout votre façon de penser. Les sciences que ces êtres, ces maîtres d'il y a 10 000 ans, enseignaient avaient pour fondement la pensée.

C'est là que se trouve le pouvoir. Celui-ci réside dans la personne. Et pour accomplir le revirement de votre esprit écervelé, il faut vous retirer seuls dans la quiétude de la nature et *être*. C'est ainsi que viendra la pensée qui vous ouvrira à la communication. Je ne peux vous enseigner comment le faire; vous devez vous y mettre tout simplement et être.

Votre dissociation de la pression *extérieure* enraiera la polarité. Cela vous donnera le temps de *penser* et vous établirez par le fait même le lien avec ces grands dieux.

Ces dieux ne badinent pas. S'ils n'ont pas de motif de le faire, ils ne viendront pas vous voir. Ils ne se manifesteront à vous dans le ciel nocturne que si vous les attirez à vous, d'égal à égal. Ils ne viendront pas sans raison. Et cette raison serait que vous vous éleviez à leur niveau de compréhension.

N'allez pas croire qu'ils vont s'emparer de vous, vous mettre sur le feu et vous faire rôtir à la broche. Ils ne vous mangeront pas. Ces entités, mes semblables, ne sont pas ici non plus pour des raisons de reproduction. Ça, elles l'ont déjà fait. Elles sont ici pour échanger avec quelques-uns d'entre vous. Et ce sont elles qui font la sélection, pas vous. Vous devez vous en rendre dignes en vous débarrassant des détritus et en permettant à votre esprit de ne faire qu'*un* avec elles. Il vous suffit de parvenir à l'*unification* d'esprit.

Si votre réalité est tapissée de marottes, d'images, de jugements et d'attentes, il n'y a pas de place pour ces entités et une expérience est hors de question.

*La félicité, c'est avoir la grâce
de découvrir un instant dénué
de l'illusion du passé ou du futur.
C'est devenir cet instant, pulvérisé dans le temps.*

CHAPITRE 3

L'art d'être,
une méthode simple pour triompher
de l'esprit écervelé
et être tout simplement

Venir à bout de votre image et de votre besoin de juger n'est pas tâche facile. Un moyen simple de vous mettre à l'oeuvre est de vous retrouver dans la nature, là où personne ne pourra vous distraire, où vous pourrez réfléchir, sans avoir à vous inquiéter des importuns et des curieux.

Si vous vous sentez plus rassurés en compagnie d'autres personnes, évitez de vous regrouper, asseyez-vous plutôt en rangée. Emportez avec vous le nécessaire pour vous sentir confortables dans cette petite retraite sauvage. Ayez ce qu'il faut pour vous asseoir et vous étendre.

Demeurez-y en silence et faites taire votre esprit jusqu'à ce que rien d'autre n'existe que vous et l'éternité.

Au bout d'une heure environ, une fois que vous aurez pris goût à cet état et que vous serez habitués à l'idée d'être simplement, il vous viendra un instant de connaissance. Au sein de cette connaissance, vous ressentirez l'exaltation qu'amène le savoir.

Ceci est dit expressément pour que vous sachiez ce qui va se produire. Cette connaissance se traduira par une intuition que vous capterez. Il se peut que votre corps tout entier soit envahi d'un frisson, sans raison apparente. Vous êtes en train de faire maison nette. Vous devez restez là, le temps qu'il faut pour venir à bout de toutes vos pensées.

«Pourquoi suis-je assis ici ?»

«Je pensais que je pourrais voir un vaisseau spatial.»

«Ne vont-ils pas nous faire faire une balade ?»

Il faut prendre le temps de dépasser ce cycle de pensées. C'est seulement à ce stade que vous viendra l'instant de connaissance. Au moment où vous percevrez cet instant, cette inspiration, levez immédiatement les yeux vers le ciel. Vous y verrez un signe merveilleux.

C'est un commencement, c'est tout ce que c'est. C'est le début du processus d'«être». Être consiste à vous permettre de vous dissocier de la subjectivité de l'image. *Être* est l'un des plus sublimes enseignements qui soient; c'est un art. C'est vous *permettre* d'être tout simplement. Être, c'est ne faire qu'un avec le vent nocturne. Vous pouvez le sentir. Vous êtes le vent. Être, c'est contempler l'éternité et ne plus connaître de séparation entre elle et vous. C'est cela être.

C'est aussi s'abstenir de discuter de ce que vous aurez vu. Soyez, tout simplement; n'en parlez pas. «Être» fréquemment vous est essentiel. En étant, vous découvrirez ce que c'est qu'un esprit extraordinaire. Vous devez en faire l'expérience.

Tant que vous en sentirez la nécessité, restez là, assis dans la nature. Si vous sentez le besoin d'utiliser les cabinets ou de manger, ou si vous vous sentez fatigués et souhaitez aller dormir, levez-vous et faites-le. Ne restez pas assis là juste pour prouver à un ami que votre désir est sincère. Regardez la vérité en face. Si vous souhaitez absolument dormir, ce n'est pas mal. Il vaut mieux être honnête avec soi plutôt que de rester assis sur une colline dans le noir, parce que vous pensez y être obligés. Vous n'obtiendrez rien ainsi, sauf une réalité de victime. Mais vous devez restez là tant que vous le pouvez.

Et souvenez-vous, l'activité est toujours plus accrue avant l'aube.

De mon temps, nous pouvions apercevoir plus d'étoiles dans le ciel et nous avions deux lunes. L'une d'entre elles était un vaisseau; il ressemblait tout simplement à une lune. Mais il y avait deux sphères dans le ciel.

Dans un ciel de nuit, les apparences sont souvent trompeuses.

N'ayez jamais l'ignorance de penser que, parmi les dix milliards de soleils composant la Voie lactée, ce misérable petit grain de poussière dans le coin le plus reculé de la pensée de Dieu est le seul endroit qui renferme la vie.

Durant mon existence, je m'asseyais dehors sur un gros rocher et je contemplais la lune enchanteresse. Je regardais aussi une autre lune que j'observais souvent : son trajet n'était pas aussi régulier que celui de l'enchanteresse. J'étais souvent dehors en train d'observer et de regarder. C'est ainsi que j'appris.

Ces entités existent. Leur gloire est légendaire.
Elles sont capables de vous étonner
et souhaitent partager avec vous
leur magnificence.

*Votre image, ou instinct de conscience sociale,
ne sait que ce que lui dicte la civilisation
conspiratrice,
rien de plus.
On vous a littéralement enseigné l'incrédulité
face à tout autre concept.
Vous avez «appris» à supprimer
tout ce qui ne cadre pas avec l'idée de Dieu
que veut vous imposer la société.*

CHAPITRE 4

Un dieu ordinateur
et
deux cités

En 1956, des explorateurs larguèrent de leur avion du ravitaillement en Nouvelle-Guinée. Les membres d'une tribu isolée s'emparèrent de l'une de leurs caisses.

Ils n'étaient pas civilisés comme vous.

Ces indigènes ouvrirent la caisse et découvrirent toutes sortes de choses merveilleuses qu'ils n'avaient jamais vues auparavant. Il y avait des boîtes de conserve, des pots de tabac et des boîtes de métal contenant des instruments. L'objet le plus précieux parmi ce butin était une carte géographique représentant la Nouvelle-Guinée et l'hémisphère dans lequel elle est située. Cette acquisition engendra un tout nouveau culte qui fit fureur parmi les sectes tribales. C'était on ne peut plus sérieux.

Ces indigènes n'avaient jamais vu ni cargaison, ni boîte de conserve, ni instrument, ni tabac. Et, chose certaine, ils n'avaient jamais vu non plus de carte ou d'appareil argenté laissant tomber du ciel de tels trésors. Un nouveau culte prit naissance. Ils commencèrent à se vêtir de manière à se conformer aussi exactement que possible aux images imprimées sur les boîtes de métal. Les instruments servant à la navigation et à la construction des routes furent bientôt considérés comme des objets sacrés. On ne les utilisait plus qu'au cours de rites sacrés et de cérémonies en l'honneur des dieux. La carte géographique devint le code divin des indigènes, leur indiquant comment trouver Dieu.

Quand les explorateurs vinrent pour récupérer leur cargaison, ils furent reçus comme des dieux descendus du ciel. On leur fit don des plus belles femmes, des meilleures chèvres et des métaux les plus précieux. Puis, les indigènes s'agenouillèrent et commencèrent à les adorer. Ils allèrent jusqu'à installer ces explorateurs dans le temple qu'ils avaient érigé autour des artefacts.

C'était des gens barbares, bien sûr.

Parmi les autres objets qui se trouvaient à bord de l'avion, il y avait un billet de passage. Sur ce dernier, des instructions indiquaient comment l'ordinateur avait choisi les sièges. Les visiteurs en traduisirent l'inscription aux indigènes et cela devint leur mantra. Ils avaient décidé que l'ordinateur était le dieu suprême parce qu'il avait choisi sa destinée.

Nous soupirons, nous nous curons les dents et pensons : «Ils ne savent tout simplement pas mieux.» Je vous dirai que vous leur ressemblez énormément. Vous regardez des artefacts des temps passés et vous voulez qu'ils aient un rapport avec la déité, la destinée individuelle et Dieu. Au fond, vous n'êtes pas très différents des membres de cette tribu qui, après avoir découvert quelques bricoles tombées du ciel, commencèrent à se croire concernés, convaincus que leur destin tout entier avait été conçu par l'ordinateur d'une cité lointaine.

Si je vous ai mentionné que vous deviez opter pour l'objectivité de préférence à la subjectivité, c'est que vous en aviez besoin. La mission de ces entités n'est pas subjective mais objective. Leur but est d'harmoniser, votre coin d'univers, actuellement peuplé de gens sauvages et barbares. Ces derniers, loin de posséder la douceur, la simplicité, le calme et la charmante ignorance de la tribu mentionnée plus haut, sont plutôt meurtriers et s'obstinent à tout détruire.

Si vous souhaitez un contact pour vous rendre célèbres ou dans l'intention d'adorer ces entités, vous venez de séparer votre conscience d'un esprit grandiose. Ce besoin de gloire personnelle cause la séparation. Tout ce que vous percevez comme vous étant *extérieur* vous coupe de la possibilité d'y avoir accès.

La conscience doit être capable à la fois d'abstraction et d'objectivité. Vous devriez pouvoir observer et ne faire qu'un avec ce que vous observez, sans comparaison, sans chercher de sauveur ou de rédempteur. Vous devriez plutôt y voir une unification, un moyen de progresser au sein d'une connaissance dynamique.

Où sont les vestiges de ces illustres civilisations du passé prouvant l'existence de tels maîtres et de tels contacts interdimensionnels ? D'un point de vue strictement contemporain, il n'est pas facile d'identifier des vestiges comme étant des machines ou des «manuscrits».

Un chercheur allemand reconnut que les pierres plates observées dans un musée de Bagdad n'étaient pas des reliques religieuses mais bien d'anciennes piles datant de 2 000 ans. S'il ne s'était pas rendu compte de leur identité, elles seraient toujours exposées dans ce musée, identifiées comme étant d'anciennes pierres sacrées.

Un découvreur trouva dans une caverne des cartes vétustes datant du premier siècle après J.-C. Ces cartes indiquaient clairement la région de la Méditerranée où vivait cette personne. À cette époque, il n'y avait aucun «monde connu». Cependant, les cartes avaient ceci d'étrange qu'elles offraient une vue aérienne de la Méditerranée, de l'Arctique et de l'Antarctique, ainsi que des deux Amériques. À l'époque où Christophe Colomb partit à la découverte de l'inconnu, une autre carte du genre fut trouvée. (Colomb l'eût-il trouvée, celle-ci lui aurait facilité la vie.) Cette carte provenait aussi d'une caverne.

Dans le Yucatán, en Bolhézia, il existe des cavernes contenant des peintures où figurent toutes les étoiles du système solaire. Elles furent peintes il y a 50 000 ans. Il y avait plus d'étoiles sur ces peintures qu'on peut en voir dans le ciel actuellement. On peut toujours y observer des lignes et des coordonnées partant de Vénus jusqu'à la terre.

Qui en est l'auteur ? Et pourquoi ces peintures sont-elles dans une caverne et non exposées à la vue de tous ? Parce que les cavernes servent de cachettes naturelles à la vérité, en attendant que, tôt ou tard, l'être humain curieux les trouve par hasard. De plus, tout ce qui vous a été ouvertement présenté comme une vérité, vous l'avez littéralement détruit, brûlé ou fait disparaître. Vous l'avez jugé démoniaque, satanique ou païen.

D'où les dieux viennent-ils ? D'endroits multiples. Les dieux sont ce que vous êtes, mais plus évolués. Ils représentent ce qu'il y a de plus sublime dans l'âme humaine, fruit de la conscience. Les barrières et les limitations suscitées par des croyances subjectives et banales leur sont étrangères. Ils sont pure connaissance, dans toute la force du mot.

L'histoire des anciens Esquimaux révèle que la première civilisation fut la plus grande qui soit, parce que les êtres humains qui la composaient savaient toutes choses. Ils avaient une parfaite intelligence des nébuleuses et des quatre points cardinaux. Leur mission était de voyager dans l'espace. Cette civilisation vivait ici, sur terre. Les Esquimaux ne viennent pas du Grand Nord; ils sont originaires de Ceylan. Comment se sont-ils rendus là où ils sont maintenant ? Certains d'entre eux furent enlevés de leur pays d'origine. Selon l'histoire, des grands maîtres se présentèrent dans des oiseaux argentés et les transportèrent vers le Nord. Et depuis ce temps, ils attendent leur retour.

Près d'un lac qui fait maintenant son lit sur les hauteurs d'un plateau, il y avaient deux grandes cités. Leurs habitants en étaient à peu près à votre niveau d'évolution. Ils étaient de chair et de sang comme vous; ils avaient des yeux comme les vôtres et, comme vous, ils devaient faire leurs besoins naturels. Ils étaient cependant très avancés. Par contre, ils instaurèrent une religion très décadente, tributaire de la misère humaine, de la douleur et des déchirements. Grâce à l'alchimie, ils avaient découvert la méthode pour désintégrer la matière et en libérer l'énergie. Ils détenaient le pouvoir de la bombe et en firent usage.

Lors d'un consortium, une importante décision fut prise, la même que maintenant. Il fut décidé d'éliminer cette lignée parce que ses descendants infiltraient la connaissance d'une conscience destructrice et engendraient la décadence chez l'être humain. Leur conscience était à l'agonie. Ils se faisaient les serviteurs de la connaissance, dans la mesure où qu'elle leur permettait d'être de puissants personnages et d'assujettir les autres. Ils étaient en train de faire mourir la force vitale sur cette planète.

Ce jour-là, un seul mortel fut autorisé à conduire le vaisseau, pour pouvoir en relater l'événement. Son récit est consigné dans les livres anciens de mes semblables, le *Ramayana*. L'homme aux commandes de ce vaisseau immense et splendide fut témoin, l'espace d'un terrible instant, d'une décharge plus puissante que dix mille soleils. Cette décharge, qui avait l'aspect d'une colonne de feu aveuglante, extermina en un clin d'oeil deux grandes civilisations à l'aube de leur déclin sur ce plan. Elles disparurent en un instant. Et un seul homme assista à l'événement.

Les survivants perdirent leurs cheveux et leurs ongles, et leur corps se décomposa. Les animaux et les oiseaux blanchirent, et l'eau s'empoisonna; ainsi en fut-il des champs. En un instant, leur lignée disparut à jamais.

Cruel ? Je veux que vous vous réveilliez et sachiez ce à quoi vous êtes confrontés présentement. Était-ce cruel ? Que faites-vous du libre arbitre ? Ce Dieu-là ne faisait-il pas souffrir quelqu'un ? Qui peut trancher la question ?

Cette plaine près du grand lac en question existe encore. Dans des cavernes avoisinantes, on retrouve des vestiges de cette civilisation.

La décision d'anéantir cette civilisation fut prise parce que ces gens avaient libéré l'énergie de la matière. Ils étaient indéniablement tombés en décadence, adorant le corps humain et le pouvoir. Ils dirigeaient leur partie de l'hémisphère au moyen de l'énergie atomique. Par leur décadence, ils mettaient le monde entier en péril. Tout cela, à cause de leur petit chromosome autodestructeur. Leur soif du pouvoir entravait leur évolution.

Pour le bien du monde entier et de toutes les civilisations à venir, il fut décidé de détruire cette Némésis de la civilisation. Et celle-ci se volatilisa en un instant.

Le merveilleux homme aux commandes du vaisseau en écrivit le récit.

D'où vient la religion ? D'où vient cette image d'un dieu terrible qui punit le méchant ? Ce sont des récits du genre qui vous ont menés à une telle conclusion.

Ce que je viens de vous raconter n'est pas une légende ou un mythe. C'est la vérité. Le responsable du sort de ces deux cités n'est pas un dogme ridicule. Cela n'est pas survenu sous les auspices d'un prêtre ou d'une loi quelconque créant la division, la dissension et la guerre.

Le message des maîtres fut toujours le même : «Nous vous inspirerons, vous enseignerons comment transcender la chair pour recevoir l'eau de la vie éternelle. Nous vous offrirons la connaissance qui vous permettra de comprendre toutes les demeures du ciel. Mais pour parvenir à la compréhension, vous devez sortir de votre comportement primitif et commencer à être les dieux que vous êtes. Si vous désirez la connaissance, grandissez et méritez le droit d'y avoir accès. Qui plus est, vous devez vivre cette connaissance; elle devrait être votre feu intérieur.»

C'était la loi.

Au cours de l'histoire, ces mêmes maîtres ont gardé un oeil sur votre civilisation. Ils vous ont empêchés de vous détruire et de tomber dans la décadence la plus totale. Savez-vous que, quand l'esprit cesse d'apprendre et se désintéresse de son évolution, les hormones prennent le dessus et gouvernent l'être physique ? Celui-ci tombe en décadence, laquelle devient sa réalité.

Sodome et Gomorrhe furent détruites en un clin d'oeil par une décharge atomique provenant d'un grand vaisseau. Pourquoi ? On est certainement descendu très bas quand, comme rite religieux, on en est rendu à copuler avec du bétail ?

Vous êtes si divins que vous pouvez détruire votre propre divinité et fermer votre accès à la connaissance. Par survie, vous sectionnez votre ligne de vie; vous détruisez la terre, votre demeure même. Vous êtes tellement grands que vous reproduisez dans votre conscience, et par ricochet dans votre vie, uniquement ce qui a rapport à votre univers. Réfléchissez à cela. Vous êtes à ce point puissants que ce que vous créez dans la conscience se répercute dans votre vie !

Ces êtres sublimes n'avaient qu'un seul but, empêcher votre propre malheur et votre propre anéantissement. Avez-vous entendu parler de l'intervention divine ? J'y ai joué un grand rôle.

Et certaines gens stupides s'écrient : «Le libre arbitre ! Que faites-vous du libre arbitre ? Comment osez-vous vous interposer ?»

Par bonté, pour vous sauver de vous-mêmes.

Ces entités ne sont pas des sujets de culte et d'adoration. Ce sont les dieux du temps de Moïse et de Bouddha. Ils existaient même avant Bouddha Amin. Ce sont les dieux d'il y a 10 000 ans, les initiateurs de la vérité. Vous oppriment-ils et vous ferment-ils la porte de l'éternité ? Non. Ils essaient de vous réveiller et de vous rendre capables d'établir par vous-mêmes ce contact qui servira de pont à la lumière. Et ce pont, vous le construisez dans votre conscience.

Étaient-ils bouleversés à l'idée de détruire une cité ? Pas du tout. Pourquoi ? Parce qu'ils comprenaient que l'esprit et la pensée sont éternels. Ils n'ont pas la petitesse d'esprit de penser que vous ne vivez qu'une seule vie. S'ils vous détruisaient, génétiquement parlant, ce serait uniquement pour vous élever à une forme physique supérieure que l'esprit puisse diriger. C'est ce qu'ils ont toujours fait.

Ce n'est pas facile de vous expliquer pourquoi et comment vous devez transformer la subjectivité de votre esprit en objectivité. Vous devez apprendre à ne faire qu'un et à progresser.

Pourquoi pensez-vous être nés à cette époque-ci, en des temps si tumultueux ? Pensez-vous vraiment que c'est une coïncidence ? Allons donc ! Une voix intérieure vous exhorte : «Tâche d'être meilleur. Efforce-toi de grandir en esprit.» Dépassez le dogme et les rituels insignifiants et devenez des êtres brillants. Il suffit d'un instant.

Faut-il que vous en veniez à être la seule personne à observer d'une colline une ville entière en proie aux flammes pour vous forcer à réfléchir ? Faut-il en venir là ? Ne pouvez-vous pas plutôt prendre le temps de le faire dans la quiétude d'un ciel de minuit ? Ne pouvez-vous pas reconnaître que toutes vos petites croyances ne sont qu'illusion et que vous êtes animés du même esprit qui animait tous ces maîtres ? Ne pouvez-vous pas comprendre que le chemin vers le contact, c'est le dieu sublime que vous êtes tous ? Il suffit d'un instant pour en prendre conscience. Et quand vous l'aurez fait, votre réalité changera du tout au tout. Les maîtres n'ont jamais tenté d'inspirer autre chose.

Ils ont un jour plié leurs divins bagages. Ils ont repris leur superbe connaissance et sont partis, dans l'espoir que la semence de vérité qu'ils avaient semée fleurirait dans le jardin de l'humanité. Il importe peu que votre peau soit différente de la leur; par votre divinité, vous êtes après tout leurs frères et leurs soeurs. Ils attendent que cette semence germe et grandisse.

Durant l'âge des ténèbres, les guerres saintes firent 250 millions de morts. Toutes les écoles anciennes, tous les vieux textes de vérité qu'on a pu trouver, qu'ils aient été inscrits dans la pierre, sur papyrus ou sur cuir, furent brûlés et jugés démoniaques. La vérité fut anéantie. C'est la raison pour laquelle cette période s'appelle l'âge des ténèbres.

Les gens de cette époque étaient illettrés; ils ne pouvaient ni lire ni écrire. Pourtant, au temps où fleurissait l'empire grec, tout le monde savait lire. En plus, les Grecs adoraient plusieurs dieux, non un dieu unique. Le Dieu unique que la plupart d'entre vous adorez, vous veut illettrés. C'est ainsi que l'interprètent les dirigeants de la religion. Ils veulent vous garder soumis pour empêcher que la vérité ne jaillisse de vous comme une rivière. C'est pourquoi, durant l'âge des ténèbres, tout ce qui pouvait être détruit le fut.

Pourquoi les reliques de ce temps-là demeurent-elles introuvables aujourd'hui ? À cause de votre petit besoin de vous débarrasser de tout ce qui vous gêne et vous rabaisse.

Par un consensus tacite, vos savants contemporains s'entendent pour éviter de publier un document traitant d'un sujet qui ne cadre pas avec les faits établis. Votre monde «réel» est bien gardé et protégé de toute intrusion d'irréel, afin de vous maintenir dans la stérilité et sous le joug du travail, pour satisfaire les dirigeants mondiaux.

Qu'en pensent les maîtres ? Que pensent-ils à la vue des poissons de la mer échoués sur la grève, couverts de lésions et d'ulcères ? Que pensent-ils des immenses forêts vertes maintenant dénudées et agonisantes ? Que pensent-ils des villes où l'on détruit tout naturellement la vie humaine par la drogue, les boissons alcoolisées et la perversion sexuelle ? Que pensent-ils des villes où le vol est un mode de vie normal ? Et quand je parle de voleur, je fais autant référence au simple petit voleur de rue qu'au voleur de milieux influents béni par la loi. Que pensent-ils de votre façon de vivre ? Que voient-ils en regardant votre civilisation ? Contemplent-ils l'utopie ? Croyez-vous vraiment qu'ils pensent grand bien de vous ? Non.

En ce moment, vous avez tous les éléments pour fabriquer une bombe au cobalt de 500 mégatonnes. Cette bombe peut détruire le monde entier et tout ce qui y vit. Que pensent les superbes entités des gens qui possèdent ce secret ? Quelle sorte de conscience peuvent bien avoir de telles gens ? Feriez-vous confiance à votre voisin, à votre enfant, à votre maire, à votre ami, si l'un d'eux possédait une bombe au cobalt ? Que de fois vous êtes-vous mis en colère parce que votre petite image avait été salie ? Que de fois vous êtes-vous indignés parce que votre ego altéré avait été froissé, au point de vouloir user de violence et blesser l'autre ? Que de fois n'avez-vous pas levé la main pour tout démolir par vengeance ? Cette essence en vous est des plus dangereuses. Et c'est elle qui vous sépare de vous-mêmes et de l'éternité. Imaginez cette petite essence munie d'une bombe au cobalt.

Pensez-vous que je répands la peur sur la place publique ? Je vous dis la vérité.

Pourquoi faut-il que vous lisiez ceci maintenant, à ce moment précis de votre vie ? Parce que la connaissance mène à une intuition plus profonde, laquelle est votre véritable planche de salut. Vous sauverez votre peau par la connaissance. La vérité subsistera toujours. Si votre dieu intérieur la préserve, la manifeste et la vit, vous subsisterez. C'est aussi simple que cela.

Si vous voyiez qui travaille avec vous, vous comprendriez. Ces superbes entités ne veulent pas voir disparaître le poisson de la mer qu'elles aiment, à cause de vos besoins en plastique, en égouts et en déchets.

Réfléchissez bien. Vous pensez que mon peuple était barbare, je le sais, mais de mon temps la pollution n'existait pas. Mon armée se composait de deux millions d'hommes; leurs excréments et leur urine retournaient dans la terre et se recyclaient. Nous étions loin d'en faire des tas, de les arroser de produits chimiques pour en accélérer la décomposition et les jeter ensuite dans la mer. Nous n'avions ni plastique ni papier. Nous n'avions pas vos confortables automobiles. Nous avions deux pieds et de grands coursiers. Et nos ancêtres avaient de grands vaisseaux de lumière. Nous ne laissions aucune trace de pollution. Ce que nous mangions provenait de la terre et retournait à la terre.

La connaissance ne se mesure pas au nombre de vos commodités, qui ne sont qu'une preuve de plus de votre paresse. Elle est basée sur votre conception de la réceptivité. Elle vous donne la vérité qui vous fait prendre conscience des conditions dans lesquelles vous vivez. Vous lisez ce livre pour ouvrir votre esprit et vous aider à dépasser votre sotte petite image. Car c'est effectivement l'image qui a causé la perte des civilisations.

Les maîtres ont toujours choisi des gens simples. Cela ne signifie pas que ces derniers étaient simplets ou dépourvus d'intelligence. Ils étaient intelligents, mais avaient assez de simplicité pour ne pas obscurcir la vérité. Ils ne se fabriquaient pas d'«image».

La vérité sera captée à l'état pur par une personne simple. Les prophètes, les ouvriers et les porte-parole de la vérité qui furent choisis étaient des gens simples.

La connaissance n'a rien à voir avec le fait d'aller à l'école et d'apprendre une théorie tout au plus hypothétique. Elle n'a rien à voir avec le nombre de cristaux que vous pouvez porter ou la quantité de notions ésotériques que vous pouvez retenir. Savez-vous ce qu'est l'ésotérisme ? Ce «isme» représente une vérité, une observation, une séparation des eaux que l'individu prend personnellement comme une révélation de quelque chose de sacré enregistrée en lui. Voilà ce qu'est l'ésotérisme : faire de la vérité une affaire personnelle. Mais si vous inversiez le processus et sortiez de la vérité ce qui est personnel, vous auriez une connaissance qui vous relierait aux étoiles. Votre besoin — besoin intrinsèque — de penser que tout arrive en fonction de vous, c'est ce qui empêche l'expansion de votre conscience permettant à votre esprit d'en consumer un autre qui est «là-bas».

Certains d'entre vous ont étudié tout ce qui a trait à l'image; ils ont appris comment pénétrer et étendre leur champ de conscience. Ceux-là peuvent confirmer ce que je m'apprête à vous dire. L'élimination de tout élément personnel est ce qui vous relie à l'esprit sans limite. Ces entités n'établiront pas le contact avec un individu «ésotérique», intéressé uniquement à l'aspect cosmologique de la vérité spirituelle. Elles n'établiront pas le contact avec une personne vêtue d'un accoutrement qu'elle se croit obligée de porter pour faire bonne impression. Rappelez-vous les membres de la tribu qui se costumèrent et inaugurèrent un temple à l'immense appareil qui avait laissé tomber sa cargaison du ciel. Viendraient-elles ici pour vous ramener avec elles parce que vous vous habillez pour leur ressembler ? Il vous serait d'ailleurs impossible de vous vêtir comme elles, puisque vous n'avez pas la moindre idée de leur apparence !

Elles établiront le contact avec un esprit simple. C'est en lui que réside le feu du génie. Vous ne pouvez pas éclairer un philosophe ou un fanatique religieux. Vous ne pouvez pas éclairer un fureteur; il cherche toujours. Si vous l'éclairez, il cesse de chercher alors que c'est son obsession. Vous ne pouvez éclairer une image; vous savez, cette petite chose que vous poursuivez et qui vous dit que votre identité c'est vous. C'est elle qui vous fait voir l'amour et la haine, la beauté et la laideur. Impossible de l'éclairer. Une image, c'est tout ce que c'est. Mais vous pouvez enflammer un esprit simple.

Ces entités seront de plus en plus visibles dans les temps futurs. Elles se manifesteront davantage. Elles sont à la recherche des descendants et c'est un autre pas vers la conservation. Une des conditions préalables pour être un descendant est de posséder un esprit capable d'abattre toutes les barrières qui font obstacle à la compréhension. Elles n'iront pas vers ceux qui disent : «Si vous ne dites rien, impossible de savoir.» Elles cherchent des esprits capables d'*impression*, de connaissance, d'intuition. Elles cherchent les intuitifs et les mystiques.

L'esprit mystique d'abord et l'évidence scientifique ensuite, c'est la base sur laquelle reposèrent les plus grandes civilisations. Seul l'esprit mystique ouvre la porte au contact. Ceux qui étaient contactés étaient des associés. Quelques-uns aujourd'hui bénéficient de cette association. Ces entités vous donnent, partagent avec vous, communiquent avec vous, et vous donnez en retour. C'est tout ce que c'est, et il n'y a rien de religieux là-dedans. Un aéroport n'a rien de religieux, rien de spirituel. La spiritualité réside dans la véritable nature de la réalité qu'est l'esprit mystique.

Ces entités se font de plus en plus manifestes; plus personne ne peut nier leur existence. Bien sûr, la société aura toujours de ces endormis, de ces hypnotisés qui tournent tout en ridicule. Devant l'évidence même, ils ne verraient rien. Ils ont été programmés pour vieillir et mourir; ils ont été entraînés à penser d'une seule façon, au cas où toute autorité en haut lieu aurait besoin de les enflammer et de les envoyer à la poursuite d'un ennemi quelconque. Quelles que soient les exigences gouvernementales, l'Amérique moyenne s'y pliera au nom de la religion. Faites un appel au glaive, soulevez l'Amérique moyenne et des légions de soldats marcheront contre des innocents.

Les entités qui se manifestent dans le ciel de minuit sont ici pour entreprendre une exploration de la connaissance avec les descendants.

La technique de conscience et d'énergie que j'enseigne détruit l'image et permet à la conscience d'être dans le présent. Cette conscience n'a ni passé ni futur; c'est avoir le sentiment du *présent*. C'est avoir une grande réceptivité, grâce à laquelle vous vous branchez graduellement à un esprit grandiose. C'est comme si vous allumiez vos lumières afin que ces entités puissent vous voir. Et elles vous verront.

Être, c'est travailler à atteindre la conscience abstraite. Et pour ce faire, vous devez brûler l'image. Seule la conscience abstraite vous donne accès à l'intelligence interdimensionnelle. Vous y parvenez, non en visualisant un rêve ou un désir, mais en étant ouverts.

Plus l'esprit est simple, c'est-à-dire capable d'étendre sa conscience, plus il est apte à trouver un associé dans la vie. Vous pensez que cette vérité tient du fantastique ? Laissez-moi vous dire ceci. Tandis que certaines civilisations ont disparu en un clin d'oeil à cause de cette profonde connaissance, d'autres sont génétiquement engendrées par de telles entités. Elles essaient d'y implanter la vie et d'en extirper cette force destructrice qu'est ce monstrueux et persistant petit besoin d'image. Il en est parmi vous dont l'arbre génétique ne s'est pas développé selon le processus linéaire courant sur cette terre. Vos origines se trouvent plutôt au-delà du Soleil.

Se pourrait-il que votre dieu ait choisi cette lignée génétique pour faire le lien ?

Si vous vous êtes laissé guider par votre connaissance intérieure, parce que vous sentiez que c'était la meilleure chose à faire, et ce, malgré les moqueries et les jugements du monde, vous ferez le lien. Le dieu intérieur comprend tout; contrairement à l'image ou conscience sociale qui, elle, ne sait que ce que lui a dicté la civilisation conspiratrice, rien de plus. On vous a littéralement enseigné l'incrédulité face à tout autre concept. Vous avez «appris» à supprimer tout ce qui ne cadre pas avec l'idée de Dieu que veut vous imposer la société.

Quand vos dirigeants vous disent : «Nous certifions que telle chose est néfaste», il faudrait traduire par : «Nous certifions que telle chose est la vérité.»

Pour atteindre ce coin inégalé de votre *esprit*, une épuration de la conscience est nécessaire. Et vous n'y arriverez pas en jeûnant, en vous abstenant de la vie ou en visualisant quoi que ce soit. La visualisation n'est qu'une illusion de plus !

Ne comprenez-vous pas la grandeur de votre esprit ? Vous pouvez créer de la lumière dans une pièce et n'y voir pourtant qu'une illusion. Cela n'a aucun effet parce que vous n'avez pas changé. Établir le contact avec ces entités est une démarche objective, impersonnelle. Une telle conscience ne vise pas la gloire mais l'échange. Et c'est ce dont vous avez besoin pour attirer à vous les entités de haut niveau.

Vous n'avez pas la moindre idée de leurs mécanismes de pensée. Vous ne pouvez vous imaginer en train d'anéantir deux civilisations en un rien de temps. N'est-il pas vrai ? Savez-vous pourquoi ? Parce qu'au fond vous pensez encore que la vie commence à la naissance et se termine à la mort. Vous ne comprenez pas l'immortalité de l'esprit et vous vous dites pourtant spirituels.

Si vous ne le comprenez pas, vous ne comprendrez pas non plus pourquoi, à cause d'un changement, la nature saccagerait tout sur son passage.

Je vous dirai ceci : certains événements d'ordre naturel ont annihilé des civilisations entières en l'espace de quatre heures. Que penseriez-vous de la terre si elle se mettait à l'instant à pivoter sur son axe, faisant éclabousser les océans sur les masses terrestres, tuant tout ce qui bouge, y compris les êtres humains qui sont censés être divins ? Et que pensez-vous d'un tremblement de terre meurtrier ? Est-ce que cela vous touche ? Vous ne vous y attardez pas, pas vraiment. Surtout si les victimes n'ont aucun lien de parenté avec vous. Certes, vous êtes un peu tristes, mais demain quelque chose d'autre surviendra et vous n'en aurez plus de souvenir parce que vous n'êtes pas personnellement concernés. Si vous l'êtes, c'est une autre affaire. Que diriez-vous si la nature avait la même attitude ? Si vous étiez la nature, pourriez-vous agir de la sorte ?

Laissez-moi vous donner matière à réflexion. Quand vous avez une écorchure à la jambe, vous la nettoyez, l'épongez, puis y appliquez un bandage. Il faut à tout prix tuer les bactéries. Et pourtant, celles-ci ont une conscience. Quel est le motif de votre attitude ? Vous ne voulez pas que votre blessure s'infecte. Qu'est-ce qui l'infectera ? Une autre force vitale ! Mais vous tuerez les bactéries pour éviter qu'elles ne vous détruisent.

Répondez-moi : Y a-t-il une vie supérieure et une vie inférieure ? Y a-t-il une vie importante et une vie sans importance ? La force vitale n'est-elle pas la force vitale ? Tout cela n'est-il pas du pareil au même ? Oui. Vous ne pouvez pas être éternels, vivre dans le *maintenant* et avoir une conscience réceptive, sans savoir que la force vitale *est* tout simplement. Cette force est aussi puissante dans les bactéries qu'elle l'est en vous.

Dans un esprit grandiose, il n'y a ni polarité ni séparation.

Vous ne pourriez pas anéantir une société décadente. Pourtant, d'un seul coup de savon, vous pouvez exterminer des civilisations entières de bactéries. Cela vous laisse indifférents. Vous ne les connaissez pas. C'est un geste impersonnel. Mais vous le faites pour assurer votre propre continuité. Vous savez que ces bactéries reviendront d'une façon ou d'une autre et se reproduiront ailleurs. Il en est ainsi, n'est-il pas vrai ?

Je me demande de quoi on va bien m'accuser à la suite de cet enseignement. Je peux déjà l'imaginer : «Ce Ram, il n'a aucune conscience! Il répand la peur sur la place publique. Il parle de détruire des civilisations entières qu'il compare à des bactéries !»

Eh bien, c'est la vérité. Et la vérité vous libérera.

Ne soyez pas hypocrites ! Si vous pouvez vous débarrasser des bactéries sur une blessure, vous pouvez détruire une civilisation ! Comprenez que la force vitale est une continuité. Les entités qui meurent sont des esprits que la lumière rappelle à elle. Et qui vous dit que l'une d'elles n'a pas évolué au cours de son expérience dans ces anciennes civilisations anéanties et n'est pas revenue aujourd'hui pour revêtir votre apparence ?

Avez-vous peur de l'énergie atomique ? Le fait d'apprendre que des civilisations anciennes possédaient ce pouvoir vous perturbe-t-il ? Craignez-vous d'avoir appartenu à ces civilisations ? Il est fort possible que vous en ayez fait partie. Ne comprenez-vous pas que la force vitale ne fait que se recycler et que votre esprit et votre âme sont cette force vitale.

Votre corps est-il lourd ? Quand vous pensez à la mort, c'est l'indice de votre lourdeur. Votre esprit est-il grandiose ? Quand vous pensez à la vie, c'est l'indice de votre grandeur.

Êtes-vous prêts à établir la connexion avec un esprit abstrait capable d'exterminer dix millions de bactéries sans s'émouvoir ? Cela ne vous donne-t-il pas une perspective juste ? Quant à vous, tous les sceptiques, qui peut dire si ces bactéries n'avaient pas une femme et des enfants ? Qui peut dire si elles ne laissaient pas une famille dans le deuil ? Qui peut dire si elles n'étaient pas enceintes ? Elles l'étaient fort probablement. Vous tuez de futures bactéries ! Comprenez-vous ?

Je sais que j'exagère et que je touche à un sujet délicat. Votre image veut déformer cette information, y voir un langage dépourvu d'amour et de conscience parce que cela fait peur et semble incroyable. Eh bien, hypocrites, la prochaine fois que vous aurez une écorchure (si vous êtes des hypocrites, vous en aurez de multiples) et qu'on vous dira de vous débarrasser des bactéries, souvenez-vous de cet enseignement et de mes propos sur la force vitale ! Car tout est Dieu. N'est-ce pas le premier pas pour comprendre toutes choses ? Si donc tout est Dieu, qu'est-ce qui ne l'est pas ? Qui peut dire ce qui n'est pas Dieu ? Les grands maîtres ne sont-ils pas Dieu ? Oui, ils le sont. L'êtes-vous ? Oui, vous l'êtes !

Laissez-moi vous dire ceci. Si vous réfléchissiez à ce que je viens de dire, vous remporteriez une petite victoire sur la mort : la vôtre. En fait, en transformant la conscience, vous changez la réalité. Et puisque celle-ci vient de votre conscience, si vous comprenez que toute une civilisation peut mourir en un clin d'oeil tout en continuant à vivre éternellement, vous ne mourrez jamais car cela deviendra votre réalité.

L'ignorance ! Que de gens disent être en quête de vérité tandis que l'objet de leurs recherches n'est qu'ignorance recyclée ! Le bon et le méchant, le supérieur et l'inférieur, et la séparation; un Dieu quelque part là-bas au lieu du Dieu intérieur. Que de temps les gens passent à prier les mains tendues, s'attendant à recevoir. Quelle hypocrisie ! Dieu n'est pas *là-bas* mais *à l'intérieur*. Dieu n'est pas en dehors de vous, il est en vous. Vous vivez comme si votre pouvoir était renfermé dans quelque objet inanimé. Il est en vous.

Jusqu'où va votre ignorance ? Jusqu'à quel point avez-vous fermé votre esprit ? Tout votre monde tourne-t-il autour de votre image ? Si c'est le cas, aussi bien faire vos bagages et quitter les lieux; vous n'apprendrez pas davantage. Vous en êtes incapables. Vous êtes saturés de tabous et de superstitions, d'ignorance et de préjugés, et il ne reste plus de place pour l'illumination. La simplicité vous manque; vous êtes complexes. Et ce n'est plus un compliment ! Cette appellation ne fait que démontrer votre ignorance.

Écoutez, il ne s'agit pas de sortir à la rencontre des étoiles parce qu'elles n'ont pas encore donné signe de vie. Il s'agit d'apprendre la connaissance qui vous donne accès à l'intelligence interdimensionnelle en ouvrant votre esprit. On ne peut juger la conduite de ces êtres superbes comme

102

bonne ou mauvaise. Ils sont les suzerains d'une souche génétique très fragile, apparemment encline au suicide par cupidité. C'est tout. Ils veulent élever votre conscience et localiser ceux qui peuvent répandre la vérité.

S'ils se manifestent à vous, ce ne sera pas parce que vous possédez plusieurs condos, des obligations et des titres, ou parce que vous vous pensez puissants. Pensez-vous que votre pouvoir les impressionne, eux qui ont un vaisseau capable de propulser la terre hors de son orbite ? Non. Pensez-vous les impressionner par votre vertu ? Non. Sur quels critères établit-on la vertu ? Êtes-vous hypocrites ? L'hypocrisie n'est pas une vertu; c'est de l'ignorance. Et l'hypocrisie n'éclaire pas; elle rend l'esprit stagnant. Ils ne perdront pas leur temps avec vous sans motif.

Ils se montreront à ceux qui seront les porteurs de la vérité et qui érigeront plus tard un pont de lumière servant aux communications qui apparaîtra et disparaîtra à volonté.

Bien que vous ne soyez pas ici pour sauver le monde, chaque jour de la vie vous donne cette chance. (Ce qui suit va faire mal, mais il vous faut l'entendre.) Chaque fois que vous mettez votre automobile en marche, vous tuez la terre. Chaque fois que vous achetez des objets en plastique, vous tuez la terre. Chaque fois que vous tirez la chasse d'eau, vous tuez la terre. Chaque fois que vous disposez de vos déchets, vous tuez la terre. Vous me demanderez : «Mais que peut-on y faire ? Il en est ainsi.» Changez les choses ! Chaque jour de votre vie, vous en avez l'ooccasion.

Ces êtres sont ici pour faire en sorte que la procréation continue. Chaque jour, vous dites que vous êtes entièrement d'accord, mais vous ne faites rien pour amener le changement en vous. Par conséquent, vous êtes des hypocrites !

Je vous ai blessés, je le sais. Mais il vous faut entendre la vérité.

Ces entités sont bien résolues à élever votre niveau de conscience et à partager une connaissance avec vous. Rappelez-vous qu'elles ont anéanti des civilisations il y a 10 000 ans. Elles ont laissé la vérité aux êtres humains qui l'ont réduite en cendres.

Le changement et la simplicité se reflètent dans votre réalité. Il ne suffit pas de le dire, il faut l'*être*. Et si vous devez réfléchir à ces paroles, c'est que votre conscience n'en est pas imprégnée. Vous vous poussez à faire quelque chose que vous ne voulez pas faire. Ce n'est pas de l'évolution, c'est de la rigidité. Si vous voulez être hypocrites, soyez-le et proclamez-le. Si vous ne voulez pas changer, ne le faites pas. Votre décision sera respectée. Cela n'affectera en rien la part d'amour qui vous est dévolue. Mais pour parvenir là où vous le voulez, il faut faire plus que s'asseoir sur un rocher et attendre une décharge de lumière.

La conscience n'est pas linéaire; elle englobe *tout*. L'amour que vous recevez de Dieu ne se mesure pas à celui que vous lui rendez. Ce concept est digne d'un âne. Vous ne pouvez aimer Dieu si vous ne vous aimez pas vous-mêmes. En vous aimant, vous vous branchez sur Celui qui est *Tout* en esprit. Et quand c'est le cas, vous changez, et votre vie se transforme en un feu personnel.

Ce sujet m'emporte parce que je vois votre beauté. Je vois les dieux que vous êtes. Mais je vois aussi le vilain petit enduit dont vous êtes recouverts, cette image indifférente. Je vois aussi les civilisés et les industrialisés. Quand brûlerez-vous tout cela et prendrez-vous position ? Il le faut.

Si ces entités n'étaient pas intervenues au sein des civilisations sur cette planète, celle-ci serait stérile aujourd'hui. Saviez-vous que jadis la planète Mars ressemblait à la Terre ? L'état actuel de Mars démontre ce qui arrive quand les êtres humains sont laissés à eux-mêmes. Si vous n'avez jamais vu une photo de cette planète telle qu'elle est aujourd'hui, vous devriez en trouver une et vous y arrêter.

Il existe une véritable détermination à conserver la Terre à cause des gens qui y sont. Vous assisterez à des choses spectaculaires, et quelques-uns d'entre vous auront la chance d'y participer. Mais vous vivez en des temps incroyablement dangereux, beaucoup plus dangereux que vous ne pouvez l'imaginer.

Tout en essayant de foncer dans le vaste inconnu, votre esprit doit *être* ce vaste inconnu. Ils sont inséparables. La vérité est que si vous aimez votre terre, vous n'achèterez pas un hamburger dans un emballage de polystyrène. En le faisant, vous vous séparez de la vérité. Ne faire qu'un avec la vérité, c'est acheter un hamburger et demander qu'on le dépose dans votre main.

Regardez vos mains : elles sont lavables, vous n'avez pas à en disposer. Elles vous suivent, où que vous alliez. Un emballage spécial n'est pas nécessaire. Il suffit de demander qu'on dépose le hamburger dans votre main. N'est-ce pas merveilleux ? Faites-le !

C'est un bien petit exemple, mais il illustre comment ne pas se séparer de la vérité, comment ne faire qu'un en conscience pour que le verbe soit fait chair. La simplicité, c'est ce que recherchent ces entités.

Savez-vous comment un tordu traiterait cette vérité ? Il dirait : «Théoriquement parlant, ce serait certainement la chose à faire; mais économiquement parlant et considérant notre déficit budgétaire, cesser brusquement l'usage d'articles jetables n'est pas à recommander. Après tout, d'où vient notre viande ? De l'Amérique du Sud. Ne devons-nous pas encourager la production nationale, pour inciter les dirigeants à nous payer l'argent qu'ils nous doivent ? Si nous allions dans le sens de votre suggestion, nous assisterions à une récession économique et à une chute du marché boursier.» Saviez-vous que 80 % de l'Amérique appartient au marché boursier ? C'est un exemple de façon de penser complexe. (C'est précisément la catégorie de gens que vous avez envie de secouer.) La vérité est que la complexité n'existe pas. Seul «Celui qui est» existe.

«Déposez le hamburger ici. Je l'envelopperais bien dans un papier puisque celui-ci retourne à la terre, mais pourquoi ne pas déposer le hamburger dans ma main ? Elle est lavable. Et quand je quitterai cette terre, elle sera biodégradable. Un jour, mes os serviront d'engrais à une fleur.»

En ce moment, vous vous demandez ce que ce langage a de commun avec l'intelligence interdimensionnelle et ces entités avec qui vous désirez entrer en contact. Croyez-moi, tout cela est étroitement lié. Les prophètes émergent de la simplicité. Les gens simples sont des graines de semence que l'on préserve, car la vérité continue de briller en eux comme un flambeau. C'est grâce à la simplicité que naît le génie.

Les gens complexes ne font pas de place au génie. Économiquement parlant, la semaine ouvrable ne comporte pas suffisamment de jours, selon leur notion du temps, pour rendre ce projet réalisable. Les génies ne se trouvent pas parmi les gens complexes et futés, mais parmi les gens simples. La révolution industrielle est née d'esprits simples, considérés plus tard comme des génies.

Si le récit de la destruction de Sodome et Gomorrhe, d'Antruschon et d'Eloman vous bouleverse, alors vous n'êtes pas prêts à entendre tout ce qu'il y aurait à en dire. Cela signifie qu'un blocage émotionnel empêche votre esprit d'aller plus loin. Et ce n'est pas mal. Vous apprendrez et verrez à la mesure de vos capacités.

Pensiez-vous à la force vitale tout en contemplant l'idée de détruire des bactéries ? Pensiez-vous que cela était comparable à l'anéantissement de toute une civilisation ?

Aussi longtemps que vous véhiculerez une vérité rigide et dogmatique, au nom de l'amour selon vous — c'est effectivement de l'amour, mais combien ignare —, vous limiterez les frontières de votre conscience. En y regardant de près, une telle vérité est la puissante barrière qui vous ferme le chemin. Comment pouvez-vous apprivoiser l'inconnu en y fonçant armés de règles et de règlements ? De tels règles et règlements ne feront qu'être corroborés dans la conscience.

Ces êtres sublimes ne sont pas ici
pour vous mettre sur le feu
et vous faire rôtir à la broche.
Ils ne vous mangeront pas.
Les êtres de haut niveau, mes semblables,
ne sont pas ici à des fins de reproduction,
Ça, ils l'ont déjà fait.
Ils sont ici pour échanger avec quelques-uns
d'entre vous.

CHAPITRE 5

Les vaisseaux et leurs occupants, la relativité du libre arbitre et Dieu

Les vaisseaux

Les grands vaisseaux sont fabriqués de métaux divers, dont la plupart sont étrangers à la terre. Ces métaux sont si légers que vous pourriez en tenir un morceau sur vos épaules. Ils servent de conducteurs à des champs d'énergie magnétique engendrée à une température de zéro degré, dans un vacuum produit à l'aide d'un moteur rotatif à mouvement perpétuel.

Ces vaisseaux voyagent sur un chemin de lumière. Le champ aurique les entourant est déterminé par la vitesse à laquelle ils se déplacent. Leur nature et la description qu'on en fait varient. Il y a longtemps, on disait que c'étaient des chariots de feu qui s'étaient emparés de gens choisis et n'étaient plus jamais revenus. On les a vus prendre la forme de nuages; et c'est ce qu'ils font. On les a surnommés colonnes de feu, ce qu'ils sont. Il existe de très petits vaisseaux pouvant contenir une personne et il en existe d'assez gros pour couvrir la moitié du ciel.

Ces appareils, bien que brillant d'une lumière merveilleuse, sont également dangereux. À une certaine fréquence, ils émettent un dangereux champ de radiation. Cette fréquence leur permet de maintenir leur stabilité. Le sol est souvent brûlé à l'endroit où ils atterrissent, éliminant ainsi la croissance de toute forme de végétation pour des années durant.

À leur fréquence maximale, vous retrouver à bord serait sans danger. Toutefois, la constitution de l'homme ne pourrait tolérer l'angle et la vitesse auxquels voyagent ces véhicules. Les êtres humains doivent par conséquent ingérer une substance ressemblant à de la gélatine, jusqu'à ce que tous leurs organes en soient saturés. Ils sont ensuite placés dans des réservoirs hermétiquement fermés et nourris d'oxygène. C'est la seule façon de rester en vie lors d'un voyage interstellaire. Ces êtres peuvent effectivement vous conduire quelque part, mais pas à votre détriment, surtout si vous êtes associés avec eux.

Ils aiment, mais leur conception de l'amour est bien différente de la vôtre. Ils aiment la force vitale, la connaissance, la vérité. Ils *sont* tout cela.

Leur amour n'est pas individuel, il n'a pas de degré. Ce sont les amants du tout. Cela leur permet d'avoir l'esprit pleinement ouvert et épanoui. Cela leur permet de s'intégrer.

La capacité des vaisseaux varie selon la mission de leurs occupants. Si ces derniers sont ici pour des raisons d'ordre génétique, leurs vaisseaux seront pourvus du strict minimum. S'ils sont ici pour faire des tests géographiques et géologiques, ils auront de plus grands vaisseaux, équipés en conséquence.

Ils s'immobilisent souvent au-dessus de grandes masses d'eau pour les ioniser ou au-dessus de centrales nucléaires pour en enrayer les fuites. Ne vous attendez pas à ce qu'ils vous saluent ou s'arrêtent pour vous dire bonjour. S'il vous arrive de voir filer un de ces splendides vaisseaux, vous pouvez en déduire qu'une mission le réclame quelque part. Et si vos yeux peuvent le suivre, alors comptez-vous chanceux.

En élevant la fréquence du vacuum, ils sont capables de passer du visible à l'invisible. Ils peuvent apparaître au beau milieu du ciel, parcourir une courte distance et disparaître ensuite. Ils ont ce qu'on appelle des «déguisements», mais le terme n'est pas approprié. Cela fait tout simplement partie de leur dispositif. À une certaine vitesse, ils disparaissent effectivement, ne vibrant plus à la fréquence tridimensionnelle. Au compte de cinq, ils peuvent disparaître et se rendre de l'autre côté des Pléiades. Ils sont hors de la lumière, de la distance et du temps. Ils peuvent se rendre au-delà du Soleil en un instant. Ils peuvent accéder à un univers parallèle en passant par les trous noirs. Ces explorateurs du «tout-en-tout» sont allés partout.

Le vaisseau de mes semblables est splendide. Il en abrite de plus petits qui lui sont subalternes, pour ainsi dire. Il est invisible la nuit, à l'exception des réflecteurs inférieurs. On les prend souvent pour des étoiles ou pour un autre appareil. Le métal dont il est fabriqué est de la couleur d'un ciel nocturne. Illuminé, il est plus brillant que dix mille soleils. Il n'arbore pour seul emblème que le triangle.

Ses magnifiques lumières changent d'intensité selon ses déplacements, car la lumière lui sert de route. Il la fait briller dans la direction qu'il veut prendre et se déplace en conséquence.

La porte n'est pas apparente. Elle s'ouvre à la manière d'un sceau. Cette immense voûte d'entrée ne repose pas sur le fond de l'appareil, mais plutôt sur son côté. En s'ouvrant, elle laisse sortir une lumière brillante. Une «langue» se déploie et la lumière forme un tunnel ou chemin, un passage sûr menant dans ses entrailles ou son ventre.

On pourrait décrire le vaisseau de mes semblables comme un triangle recouvert d'un dôme.

Leurs occupants

Les êtres qui visitent votre Terre varient en apparence.

Certains sont très petits et très minces. Leurs vestiges sont enterrés près de Suffolk, en Angleterre. Jadis, ils colonisèrent cette planète et sont à l'origine du mythe des lutins et des petits bonshommes. Leurs vaisseaux sont magnifiques et, pourtant, vous pourriez tenir l'un d'eux dans une main.

D'autres sont un peu plus gros. C'est la variété la plus populaire. Ils ont la peau bleu-gris et sont dotés de grands yeux noirs. Ils n'ont ni cheveux ni oreilles. Ils ont deux trous en guise de nez et une incision leur sert de bouche, parce qu'ils ne mangent pas. Ils n'ont aucune fibre musculaire, mais sont constitués de nerfs, de chair et d'os. Ils se nourrissent de prana, un terme ancien qui signifie énergie. Ils viennent d'une constellation où, par l'entremise de leur déesse-mère, la connaissance fut abondamment implantée et l'émotion, extirpée. Ils sont ici pour s'approprier la semence humaine à des fins de reproduction, dans le but de réinjecter l'émotion dans leur matériel génétique. Les larmes leur sont précieuses et ils apprennent à aimer.

Certains viennent faire des recherches sur le plan végétal et animal. Ils habitent l'intérieur et non la surface de leurs systèmes planétaires. Ils emportent chez eux des morceaux de terre, ils en extraient les gènes pour faire des croisements avec leurs propres variétés de plantes afin de créer un paradis. Ce sont des dieux de haut niveau. Par le passé, ils copulèrent avec les êtres humains, engendrèrent une partie de cette race et plusieurs de ceux qui lisent ce volume en ce moment. Ils ont une superbe stature, certains dépassant même 2,30 mètres de hauteur, et portent une longue chevelure. Ils sont larges et musclés. Leur peau a la couleur de la cannelle; on dirait souvent qu'elle est dorée. Leurs yeux peuvent être bleus ou bruns. Leurs cheveux peuvent avoir la couleur des blés ou celle de la nuit. La légende nous dit que ce sont des elfes.

Au fait, ce sont eux qui firent disparaître les civilisations anciennes pour en créer de nouvelles. Leurs vaisseaux sont d'un blanc étincelant. Vus de près, les plus petits d'entre eux prennent l'apparence d'une pierre taillée quand ils deviennent transparents. À l'instant où l'un d'eux s'élève dans les airs, toute sa coque devient rosâtre et il disparaît en un éclair. Ils ont la propriété de se déguiser en grandes masses terrestres ou en nuages. Quand il n'y a rien d'autre dans le ciel qu'un nuage bien particulier, c'est souvent l'un d'eux que vous apercevez. Ils ont inspiré le milieu cinématographique pour rappeler qu'ils existent, eux et leurs occupants. Ces derniers sont les dieux de l'antiquité. Ils viennent d'au-delà de l'étoile Polaire. Ce sont mes ancêtres.

Ils sont de bienveillants protecteurs. On les surnomme Anges, Archanges, Seigneurs, Constants. Ils sont entourés d'une véritable révérence. Ce sont eux qui inspirèrent l'idée de religion dans le petit esprit ignorant des humains. Encore aujourd'hui, lorsqu'ils apparaissent, ils doivent revêtir l'apparence de Marie ou de Joseph pour pouvoir vous faire accepter une vérité nouvelle. Ils vous lavent de la souillure de l'ignorance, afin que vous acceptiez la vérité.

Des membres de ce groupe vous côtoient et vous l'ignorez. Ils ont l'air bien ordinaire et affable, mais leur esprit est immense. Ce sont des espions ! Et ils comprennent plus que quiconque la condition humaine. Ce sont des informateurs assidus.

Certains d'entre vous ont des sondes dans le nez, derrière les oreilles et à l'intérieur du rectum. Vous faites partie de cette constellation. La sonde est logée contre le nerf optique et ils voient par vos yeux. Celle située derrière votre oreille leur permet d'entendre ce que vous dites. Autrement, comment sauraient-ils où vous êtes et que vous demandez à les contacter ? Ils sont au courant de ce que vous lisez, de ce que vous entendez et verbalisez. Ils savent où vous allez. Ils vous étudient. Leurs descendants sont munis de sondes.

Laissez-moi tirer une chose au clair. Il ne faut pas que ces sondes fassent l'objet d'un nouveau dogme. S'il vous plaît, n'essayez pas d'en faire l'affaire du siècle. Plusieurs d'entre vous en ont déjà et je peux m'imaginer votre conversation :

«Combien de sondes as-tu ?»

«J'en ai plus que toi. Des deux, je suis certainement le plus éclairé !»

Un jour, cette sonde se délogera quand vous vous moucherez. Vous penserez que ce n'est qu'un grain de sable, mais un grain de sable qui procure une sensation de picotement. Alors, vous penserez que c'est une spore.

Au fait, ce n'est pas un mauvais signe si elle se détache. Vous n'êtes pas rejetés pour autant !

Que faites-vous du libre arbitre?

Vous demanderez, et avec raison : «Que faites-vous du libre arbitre ? Que faites-vous de mes droits ?»

Eh bien, nous avons tous été témoins de l'effet que vos droits ont sur cette Terre ! Que fait-on de vos droits ? Que valent-ils aux yeux des autres ? Laissez-vous vivre les autres ou si vous les jugez ? Êtes-vous portés à la colère ou lents à vous emporter ? Êtes-vous justes envers la Terre ? Que faites-vous pour en faire un lieu de prédilection ? La Terre devrait-elle honorer ou déplorer votre présence ? Jusqu'où va votre équité ?

Parlons-en de votre libre arbitre !

Avez-vous vraiment l'intention de détruire le monde entier ? Votre libre arbitre va-t-il jusque-là ? Ne repose-t-il pas plutôt sur votre propre réalité ? Il s'appuie uniquement sur elle. Ce n'est pas une couverture de vérité sous laquelle tous les autres doivent s'abriter. Et vous n'êtes pas du tout aptes à déterminer en quoi consiste la connaissance absolue. Vos propres préjugés et vos propres peurs y font obstacle.

Votre libre arbitre n'a pas plus de portée que votre meilleur jugement pour déterminer le réel et l'irréel. Après quoi il cesse d'exister, au même titre que votre passé.

Avez-vous le libre choix de travailler avec ces entités ? Une des raisons pour lesquelles vous avez choisi ce livre était d'acquérir une connaissance. En ce qui concerne ces entités, elles misent sur l'individu, sa psyché et les aptitudes de sa conscience. En entrant en contact avec vous, elles misent sur votre potentiel d'évolution.

Cela ne ressemble-t-il pas à ceux qui étiquettent les animaux et surveillent leur migration ? Et cela ne vous ressemble-t-il pas, lorsque vous écartez une poule couveuse de son nid pour caresser ses poussins ? Oh, vous faites bien attention de tout remettre en place. Mais quand vous traitez ainsi la nature, ne leur ressemblez-vous pas ? Que faites-vous du libre arbitre de la poule? Les poussins vous ont-ils permis de caresser leur corps et leur duvet ? Leur avez-vous demandé ? NON ! Parce que, selon vous, vous faites ce que vous pensez être votre devoir, par amour et considération pour la nature. C'est une bonne excuse. En ce qui les concerne, ils ne vous demandent pas la permission parce que, selon eux, ils agissent pour la conservation de l'espèce.

Le libre arbitre est relatif.

Et Dieu dans tout cela ?

Et Dieu dans tout cela ? Les dieux ne sont-ils pas Dieu ? Oui. N'êtes-vous pas Dieu ? Oui. N'est-il pas la poule couvant ses poussins ? Oui. Est-ce un «il» ? Oui. Est-ce une «elle» ? Oui. Est-ce «Celui qui est» ? Oui. Est-ce la force vitale ? Oui. Qu'est-ce qui permet à «Celui qui est» d'être ? C'est ce que ces êtres superbes aiment et appellent la connaissance. C'est l'aventure de la conscience découvrant l'inconnu. C'est le but de leur voyage, ne le savez-vous pas ? Vos voies sont-elles si différentes l'une de l'autre ? N'êtes-vous pas en quête d'une aventure qui vous apporte la joie ? Et cette aventure, ne la cherchez-vous pas dans l'inconnu ? De ce même inconnu peut aussi sortir un vaisseau éblouissant.

C'est le même inconnu.

Vous priez pour qu'un amant sorte de l'inconnu; quant à eux, ils demandent la connaissance. Vous obtenez tous les deux votre réponse de la même source appelée Dieu, cet esprit unique et pénétrant qui est toutes choses. Tandis que vous souhaitez posséder de petites choses dans votre monde, ils en consument de grandes dans le leur. D'où vient la lumière ? Où se la sont-ils procurée ? Dans l'inconnu, dans leur conscience. Êtes-vous si différents les uns des autres ? Non. Seul leur degré d'évolution diffère, et de beaucoup.

Ne leur ressemblez-vous pas quand vous arrosez votre plante pour tenter de la sauver ? Eux essaient de vous sauver en se débarrassant du poison dans votre ciel. Ne leur ressemblez-vous pas ? Le dieu que vous êtes est un CELUI QUI EST inachevé. Que vous soyez l'occupant d'un vaisseau capable d'illuminer le ciel tout entier ou l'individu souhaitant l'ouverture d'esprit, vos voies sont les mêmes. Vous êtes relativement semblables.

Vous êtes unis par la même réalisation. Vos désirs, vous les puisez tous à la même source. Et quand je vous dis de «chevaucher la lumière», je réfère à cette source de conscience qui vous rassemble, vous et tous ces voyageurs de la lumière. D'un soi à un autre, vous vous accordez. Vous n'êtes pas inférieurs à ces divins colosses d'au-delà de l'étoile Polaire, dont la peau lumineuse a la couleur de la cannelle dorée, dont les yeux ont le bleu du ciel ou le marron d'une somptueuse zibeline. Vous n'êtes pas différents d'eux, bien que leurs cheveux tombent en ondulations soyeuses sur de larges épaules bien musclées. Vous n'êtes pas différents d'eux, bien que leur visage, caractérisé par de fortes mâchoires et de larges sourcils, ne porte aucune trace de vieillissement. Seules vos réalités diffèrent.

Vous vous examinez, dépourvus de luminescence, et pensez que vous ne valez pas la peine qu'on vous sauve. Eux voient Dieu quand ils vous regardent.

Ce ne sont là que des mots, mais attachés ensemble, ils forment une connaissance merveilleuse mise à votre disposition. Ces mots ont été conçus pour briser certaines des barrières que votre petit esprit étourdi ne cesse d'ériger autour de vous. La connaissance, tout comme la lumière, dissipe les ténèbres. Elle est disponible pour dissiper la majeure partie de vos ténèbres et vous permettre de voir la lumière. Et vous la verrez ! Vous apprendrez à contrôler votre esprit, à penser et à *être* la pensée. Soyez cette main qui s'ouvre pour recevoir le hamburger et, ensuite, lavez-la dans l'eau fraîche.

Il s'agit d'*être* cette vérité, cet esprit, sans vous arrêter à une image qui craint la meurtrissure. Personne ici n'est supérieur ou inférieur à un autre. Il n'existe que des degrés de réalité en ce monde, et ceux-ci correspondent aux degrés de conscience. C'est tout.

Tout en lisant ce livre, certains d'entre vous pensent à leur voisin. D'autres pensent à ce qu'ils devraient faire maintenant ou à ce qu'ils devront faire demain. D'autres souhaitent tout simplement comprendre cet enseignement. Ils ne veulent pas avoir à courir comme des porcs effrayés et ignorants, en voyant un objet insolite dans le ciel nocturne. Certains d'entre vous veulent être informés, afin d'entreprendre dans un but réel et précis ce voyage qu'est l'intégration de la vérité.

Ces entités ne viennent pas pour se donner en spectacle, mais dans le but de repérer les descendants. Et, par Dieu, j'espère que vous en êtes dignes. Car vous verrez un monde nouveau et une époque nouvelle. Et tous ces vieux tabous relatifs à la science, ennemis de l'esprit inquisiteur, tomberont. Quand ceux-ci auront disparu et que les tyrans auront été enterrés, la connaissance coulera à nouveau comme une rivière. Dès cette vie — non dans quelque autre existence mais dans celle-ci — vous avez la possibilité d'accélérer cette expérience et d'y participer.

De nombreux contacts restent à venir. Espérons que vous ne rencontrerez pas les hypnotiseurs qui ne vous laissent en partage que des cauchemars. Espérons plutôt que vous vous attirerez une expérience inoubliable, afin de pouvoir en récolter une toute nouvelle intelligence qui subsistera en vous pour les temps à venir.

*Comment évoluerez-vous sans la friction
de la vie ?
Comment évoluerez-vous
sans désintégrer la matière et transformer
l´énergie ?
Il vous faut vivre la vie !
Le véritable maître en processus d´éveil
n´est pas le philosophe;
c´est l´alchimiste suscitant le changement.*

CHAPITRE 6

Le périmètre de la réalité

Les gens aspirent à la croissance spirituelle, mais celle-ci ne trouve pas de place dans leur réalité. Imaginons la réalité individuelle comme un cercle au centre duquel se trouve une image. Cette image se divise en plusieurs morceaux, un peu comme un casse-tête.

Votre réalité ressemble au cercle et les morceaux du casse-tête représentent ce que vous êtes.

Quand des individus entreprennent un voyage spirituel, ils pensent devoir se rendre quelque part, linéairement parlant. Ils font des changements superficiels. Ils vont voir des gurus et des maîtres spirituels. Ils étudient la philosophie et lisent tous les livres nouvellement publiés. Certains font le tour du monde à la recherche de la vérité, dans le but de découvrir la pièce manquante du casse-tête qu'est leur vie.

Ce cercle est disposé de telle sorte que son périmètre constitue le composé de votre vie : le savoir, les dogmes, enfin tout ce qui se rapporte à la civilisation.

Donc, le cercle tourne dans un sens et vous pensez que vous venez d'entreprendre un voyage spirituel. Vous faites toutes sortes d'expériences. Vous changez votre manière de vous vêtir et votre alimentation. (Le dogme n'est-il pas inconcevable sans une nouvelle diète ? En changeant vos habitudes alimentaires, vous ne réussissez qu'à lui ajouter une nouvelle facette !)

Vous ne faites que vous déplacer d'un côté à l'autre sur le périmètre de votre réalité. Vous ne faites que donner un nouveau visage à votre bon vieux dogme. C'est tout.

Vous changez votre garde-robe. Vous troquez crucifix, zircons et amulettes contre des cristaux, remplacez les prières au Seigneur par des mantras. Vous passez tout simplement d'un côté à l'autre du cercle. Rien vraiment ne se produit. Tout se fait en surface.

L'image au centre, elle, reste toujours intacte.

Vous ne semblez même pas vouloir vraiment changer et franchir les portes de la civilisation, facilement reconnaissables. Vous vous maintenez dans les normes établies. «Ils» vous disent que vous ne devez pas consommer certaines choses. «Ils» vous disent que vous ne devez pas porter certains vêtements.

Si vous êtes un fanatique religieux, vous êtes dans les normes. Mais gare aux vêtements que vous portez et aux personnes que vous fréquentez. On vous surveille ! Et faites bien attention de ne pas ternir l'image que la civilisation vous a imposée. Mais c'est la civilisation qui est terne. Pour elle, vous n'êtes pas des individus; vous n'existez pas, vous n'êtes que des numéros dans un ordinateur.

L'idée d'avoir une destination spirituelle ne fait que vous conduire d'un côté à l'autre de votre même vieux cercle, tandis que l'image demeure intouchée. En fait, vous hésitez à entreprendre toute démarche qui pourrait occasionner un changement radical dans votre vie.

En cours de route, vous ne faites que changer de rôle. Il n'y a rien de mal à cela. Mais quand quelqu'un vous demande, incrédule : «Avez-vous vraiment changé ?», je suis porté à abonder dans le même sens.

Tant et aussi longtemps que vous vous en tiendrez au périmètre du cercle, vous continuerez d'être une personne «spirituelle», sans vraiment devoir changer quoi que ce soit dans votre vie.

Très peu de gens se rendent compte qu'ils peuvent même changer ! Ne savez-vous pas que le but de leurs «recherches» frénétiques est d'échapper à la monotonie ? Les êtres humains veulent comprendre leur individualité; l'objet de leur quête n'est pas l'image d'une civilisation ou celle de leur *vérité spirituelle*. Ils veulent *être* cette vérité. Ils ne veulent pas se la faire peindre par quelqu'un d'autre.

Vous n'atteindrez la félicité que lorsque vous aurez commencé à enlever ce qui obstrue votre réalité.

Pensez-y. Admettons que votre réalité, votre éternité, soit représentée par un cercle et que votre conscience toute entière constitue ce cercle. Si vous l'obstruez par votre image et les normes de la civilisation, il n'y a plus de place pour le changement. Impossible à la lumière de s'y frayer un passage. Impossible à l'effet miraculeux de se manifester. Il n'y a plus de place pour recevoir la grande pensée qui change tout. Pour faire de la place, il faut changer. Et pour changer, il faut enlever les morceaux du casse-tête, afin de laisser passer la lumière. C'est ce qui apporte la félicité et la joie.

Je ne suis pas venu élargir le périmètre de votre cercle, mais faire éclater quelques pièces de votre casse-tête. Cela implique le changement, et le changement égale l'inconnu. Ce morceau de l'image que vous pulvériserez laissera un vide au travers duquel la lumière commencera à jaillir. Ce vide est joie. Pour un instant, vous connaîtrez la joie !

Je suis unique car j'incite les gens à changer leur vie et je leur fais dépasser les normes civilisées. Ce n'est pas en demeurant dans les normes établies et en vous contentant d'être un numéro dans un ordinateur que vous deviendrez Dieu. Et si vous ne Lui faites pas une place dans votre vie, vous ne connaîtrez pas la félicité. Vous êtes beaucoup trop stériles, beaucoup trop rigides. C'est le reflet de l'image. Elle vous dicte ce qu'il faut dire, ce qu'il faut faire, les endroits à fréquenter. Et cela n'a jamais été profitable, pas pour ce qui compte vraiment. Non ! Aucun Christ, aucune légende n'ont pris naissance de la sorte.

Mes incitations au changement semblent déplaire à plusieurs. Loin de garder le *statu quo*, je fais tout éclater. Et je ne dois d'excuses à personne. Je vous aime, c'est tout. Je vous traite durement, il est vrai. Et je suis injuste envers vous, oui. Je n'ai jamais dit que j'étais Jésus-Christ ! Je n'ai jamais prétendu l'être. J'irai aux extrêmes et je ferai tout en mon pouvoir pour vous amener à pulvériser les morceaux du casse-tête qui vous empêchent de voir la lumière divine et de connaître la félicité ! Mon Dieu, quand vous aurez goûté un instant à la supraconscience, vous connaîtrez la félicité, vous aurez la joie dans l'âme. Vous pourrez la sentir ! Vous ne saurez pas pourquoi, mais elle sera présente. Savez-vous ce que cela représente ? Vous aurez fait éclater un morceau de plus du casse-tête de votre réalité. La lumière pourra briller et la joie, émerger.

Quand vous ne serez plus hypocrites envers la vie, quand vous ne la minimiserez plus mais la vivrez sans concessions, alors vous serez authentiques. Vous ne serez plus un numéro mais un individu. Vous serez la sincérité personnifiée sur cette terre. Et vous connaîtrez la joie parce que c'est ce que vous aurez voulu.

On peut dire de ceux qui sont dans ma conscience : «Ils ont fait tant de sacrifices !» Mais je vous demande ceci : que sont ces sacrifices comparés à toute l'éternité ? Vous ne pouvez sacrifier ce qui ne vous appartient pas. Votre réalité se développe au même rythme que votre conscience.

Oui, vous devez changer. Vous devez glisser dans l'inconnu pour goûter la félicité. La seule façon de le faire, c'est d'opérer les changements qui pulvériseront ce qui obstrue votre réalité. Vous ne pouvez plus vous en tenir au périmètre de votre vieux cercle. Vous n'y trouverez qu'une autre forme de vérité spirituelle et cela ne sera pas *productif* ! Car vous n'aurez pas *réellement* changé; vous n'aurez pas vraiment vécu votre vérité. Vous continuerez à emprunter les mêmes vieux sentiers et à agir de la même manière.

Rien, pas même les anciens écrits de ces maîtres qui ont vécu il y a 10 000 ans, n'est comparable à ce que le Dieu intérieur a en réserve pour vous. Ces écrits ne serviraient que d'indice et d'exemple.

Je sais que vous avez passé des moments difficiles et avez beaucoup souffert. Mais chaque fois que vous voudrez supprimer une image, chaque fois que vous voudrez essuyer les mornes couleurs de la civilisation, vous devrez passer par le feu. Tous les Christ, passés ou présents, ont emprunté ce même chemin. Ce destin, ils l'ont choisi, ils l'ont suscité. Oui, ils ont eu peur, ils se sont remis en question. Oui, à certains moments, ils auraient souhaité être quelqu'un d'autre. Oui, ils ont douté. Mais quelque chose en eux les poussait à continuer leur route. Ils se sont illustrés par leur individualisme. Ils n'ont pas confiné leur vie au terne périmètre de la spiritualité ou de la civilisation. Ils ont vécu la vie. Ils ont été le feu de la vérité.

Tout cela fonctionne; il suffit de l'être. Vous ne pouvez pas être séparés de la vérité; vous devez *être* cette vérité. Si vous devez faire un effort pour *savoir*, vous êtes en état de séparation. Vous demeurez toujours à égale distance entre votre effort et votre connaissance. C'est ainsi que crée votre conscience.

Ceux qui sont dans ma conscience sont en sécurité. Ils ont opéré des changements parce qu'ils le voulaient. Ces changements semblent incroyables aux yeux du monde, oui. En ce moment, le monde est très incrédule. Et c'est ce qu'il faut pour découvrir la félicité, la simplicité et l'amour de soi, qui est l'amour de Dieu. C'est ce qu'il faut pour avoir du génie, ainsi qu'une vie remplie d'abondance et de vertu. Vous n'*obtiendrez* jamais cela en vivant à l'intérieur de l'image. Vous vieillirez et mourrez.

Au moins, vous aurez été civilisés ! Les gens pourront dire que vous avez cherché. Et puis, quelqu'un se risquera à vous demander si vous avez trouvé ce que vous cherchiez, ce qui ne sera probablement pas le cas.

Quand vous aurez compris la joie et la félicité, vous saurez que l'épreuve en valait la peine. Je connais beaucoup de gens heureux. Toutefois, d'autres les examinent et se demandent comment cela peut être possible : «Regardez tout ce qu'ils ont sacrifié. Comment peuvent-ils être heureux ? Ils vivent dans un coin perdu !» De telles questions signifient que ceux qui les posent n'ont fait eux-mêmes aucun changement. Ils ne peuvent comprendre parce, pour savoir, il leur aurait fallu l'expérimenter. Mais une fois qu'ils auront compris la joie et la félicité, ils sauront que l'effort en valait le coût.

Vous pouvez dire tout ce que vous voulez à propos du Ram. Beaucoup de gens le font ! Mais à propos de ceux qui sont dans ma conscience, je dirai ceci : ils ne sont ni pauvres ni faibles; ils sont riches en esprit. Ce sont des colonnes de lumière. Ils vivent leur joie et sont une bénédiction pour ceux qui les côtoient, car ils témoignent de Dieu et du Christ.

*La félicité et le changement
vont de pair.*

*Un maître sait tirer profit de chaque expérience
et il a le courage d'aller de l'avant.*

CHAPITRE 7

Félicité,
changement et destinée

Être un maître consiste à rompre la rigidité de votre identité. Le mot maître est un terme spirituel glorieux. Bien des gens se font une idée de ce que devrait être un maître. Mais qu'en savent-ils ? Ils ne sont pas le maître.

Un maître, c'est quelqu'un qui oriente sa pensée limitée vers la lumière de la connaissance. Il confronte la limitation pour l'obtenir. Il travaille à dépasser ses dogmes et ses marottes qui constituent l'image dans sa réalité. Son action consiste à assimiler la compréhension nécessaire à la destruction de son image. Chaque fois qu'une pièce du casse-tête vole en éclats, entre alors la lumière de la compréhension. Sa réalité en est améliorée et son pouvoir, augmenté. Votre puissance est égale à celle de votre conscience. Et si votre conscience est votre image, votre pouvoir est alors bien limité.

Les maîtres des temps anciens apprirent une technique leur permettant d'explorer un esprit plus vaste. Ils purent ainsi maîtriser ce qui inhibait leur croissance.

Ce n'est pas sans raison que j'ai établi un lien entre les bactéries et la civilisation. Ils sont la force vitale. Et quand vous le comprendrez vraiment, vous pourrez concevoir que la vie est éternelle et, par conséquent, indestructible.

Les Petits Gris aux grands yeux étaient en quête d'une colonie reproductrice et ils l'ont trouvée. Le fait d'emporter chez eux le sperme que vous gaspillez quotidiennement, par moments, et les ovules non fécondés que vous perdez et le fait de les croiser avec leur propre matériel génétique leur permettent de créer une nouvelle espèce. Ils essaient de réintroduire l'émotion dans leurs gènes.

Ils veulent pouvoir pleurer et rire. Pour ce faire, ils s'emparent de ce que vous gaspillez régulièrement. Et vous vous écriez : «Le libre arbitre ! Comment ont-ils osé me faire violence ?» Eh bien, c'est ce que vous faites constamment. Cela n'a rien de nouveau. Vous vous molestez vous-mêmes, parfois quotidiennement ! Ils ne prennent que ce que vous rejetez !

Si vous ne vous arrêtez plus à leur forme physiologique et à leur mode de reproduction sur cette planète et si vous cherchez à dépasser un tant soit peu la peur, le prochain contact sera peut-être moins terrifiant. Ils n'auront peut-être pas à vous hypnotiser ou à vous paralyser pour se protéger. Souvenez-vous, ils sont physiquement très fragiles et vous êtes très méfiants. Vous vivez dans ce «périmètre» de peur, de superstition, d'anxiété, de haine et de guerre.

Vous êtes belliqueux. Quand vous ne faites par la guerre avec des armes, vous la faites avec votre langue. C'est la même chose.

Ils vous hypnotisent, car si vous deviez les empoigner, vous briseriez leurs os. Ils sont physiquement très frêles. Et ce qu'ils font, ils le font pour leur propre protection.

Voici une information additionnelle qui vous sera peut-être utile. Ceux d'entre vous qui ont de petits implants dans le nez et ailleurs ont donné la chance aux créatures qui les ont implantés de bien comprendre votre façon de vivre. Elles voient par vos yeux, entendent par vos oreilles et comprennent ce que vous consommez; elles savent comment fonctionne votre appareil digestif. Elles vous comprennent. C'est ce qu'elles veulent faire. Elles veulent savoir à quel rythme vous avez évolué depuis 10 000 ans, alors qu'elles étaient encore sur cette planète. Ces créatures ne sont pas ici pour vous divertir, mais pour transformer un endroit en très piteux état. Je sais que vous l'ignorez, mais croyez-moi sur parole, c'est vrai.

Elles sont de nouveau ici pour y introduire les maîtres, pour réveiller une civilisation et semer la vérité. Elles sont ici pour sélectionner et rassembler les descendants en un lieu précis. Elles réalisent que tout est en train de se déchaîner ici et elles veulent apporter leur aide. Elles comprennent les besoins en cause et l'imminence de la destruction.

Quand votre ennemi — ou votre meilleur ami, susceptible de vous tourner le dos à tout moment — a entre les mains une bombe au cobalt de 500 mégatonnes, le monde est dans une situation bien périlleuse. Sans mentionner, bien sûr, tous les gens qui ont laissé la terre pour la ville. Face à la cupidité et à la pollution dont souffre ce monde, il faut bien que quelqu'un s'en mêle.

Ces créatures sont donc ici pour réveiller cette planète et pour choisir des descendants parmi les leurs, comme cela s'est toujours fait. Et votre dieu, votre esprit, qui est leur égal, leur a donné son consentement.

Cette armada est ici dans votre intérêt.

Lors de la destruction des civilisations mentionnées ultérieurement (et il y en aurait bien davantage à dire sur le sujet), les décisions qui furent prises étaient basées sur des situations très similaires à celles de votre monde d'aujourd'hui. À cette différence près que par le passé, il y eut avertissement sur avertissement, et personne n'en tint compte. Ici, dans votre société contemporaine, on tait la vérité sur l'état de votre Terre.

Le grand secret est que le monde se meurt. Le saviez-vous ? Il n'est pas question que ce genre d'information vienne aux oreilles des investisseurs. Il faut qu'on laisse entrer l'argent. Il faut qu'on maintienne les taux d'intérêts à la hausse et qu'on conserve au dollar sa stabilité. Les dollars, c'est tout ce qui importe. On ne peut pas laisser éclater la vérité. Cela susciterait la rage des investisseurs.

L'illusion de dépendance du papier-monnaie est si puissante qu'on va jusqu'à cacher au monde le fait qu'il se meurt, afin de pouvoir encaisser son chèque tous les mois. C'est ce que vous récoltez quand les gens quittent la terre, ne laissant derrière eux qu'une minorité pour s'occuper des besoins en nourriture, en vêtement, en habitation, en eau et pourvoir à l'abondance de la vie. Voilà ce qui arrive quand l'humanité choisit de vivre dans des cages de verre plutôt qu'en harmonie avec la terre. Quand vous n'êtes plus en harmonie avec elle, vous ne l'êtes plus avec la force vitale. Vous n'êtes plus synchronisés.

Dans l'évolution, la Nature surpasse l'être humain. Et pourtant, vous appelez cela la civilisation. La civilisation est le pire danger que l'humain ait connu.

Le processus de civilisation est autant un apprentissage qu'un piège. Regardez ce qu'il vous faut traverser chaque jour, juste pour être acceptables. Regardez les contraintes auxquelles vous vous astreignez. Pouvez-vous ne plus conduire votre automobile, ne plus y mettre le contact et ne plus laisser les gaz s'échapper à l'autre bout ? Pouvez-vous arrêter d'acheter du pétrole ? Pouvez-vous cesser d'utiliser le plastique ?

Que penseraient les gens si vous atteliez un cheval et le conduisiez au centre-ville ? Une idée nouvelle ! Si vous le faisiez, personne ne vous aimerait et vous ne supporteriez pas le ridicule. Pourtant, ce que mange ce cheval provient directement de la terre et ce qui en sort à l'autre bout la fertilise. Il y a une harmonie dans ce processus. C'est un exemple très grossier. Sur votre plan, il y a des gens aujourd'hui qui vivent ainsi.

Les aliénigènes qui sont ici viennent en somme aider à mettre les choses en ordre, car ce qui affecte cette terre affecte également tout ce qui se trouve dans cette galaxie. Cette dernière est un peu comme votre corps. Admettons que vous ayez mal à un endroit de votre corps que vous remarquez à peine. Votre attention se concentrera tout d'un coup sur ce point, n'est-il pas vrai ? Si vous avez une irritation, vous vous consacrerez entièrement à cette partie de votre corps pour trouver soulagement.

La galaxie tout entière est comme votre corps. Si une plaie fait éruption, toute l'attention, toute la concentration de ce corps se porte sur elle. Et devinez quoi ? La plaie, c'est vous !

Plus vous remplirez votre vase de connaissance, plus votre conscience prendra de l'expansion. Et plus ouverte sera votre conscience, plus grande sera votre réceptivité. C'est ce qui vous attirera le même idéal et vous préservera. C'est la lumière sortant des morceaux du casse-tête de votre réalité.

Chaque fois que vous verrez une boule de feu vert éclater dans les cieux, dites-vous que c'est une tentative pour neutraliser le poison qui s'y loge. Cela n'est pas fait uniquement dans votre intérêt. Les créatures qui vivent dans la mer et les animaux qui se meurent ont également une âme. Ils ont aussi un esprit, et leurs protestations sont également prises en considération.

Ils sont de retour, ces grands maîtres d'il y a 10 000 ans, messagers de la connaissance pour toutes les civilisations. Ils sont de retour, ces maîtres qui firent passer les Esquimaux de Ceylan au Grand Nord, qui transportèrent des êtres ici et là et firent école, tentant d'enseigner aux êtres humains à triompher du gène destructeur. Ils reviennent ici, ces maîtres qui essayèrent de transformer le drame humain, afin d'exposer au grand jour ce que le monde s'efforce de cacher, à savoir, que vous êtes en train de mourir. On vous garde dans l'ignorance, de sorte que vos chèques puissent vous parvenir mensuellement !

Nous nous sommes éloignés de ce concept magique qui veut que les aliénigènes vous chérissent, qu'ils veuillent vous emporter sur un rayon de lumière et vous emmener chez eux à cause de votre gentillesse. Nous nous sommes écartés de cette notion romantique qui veut que vous ayez quelque chose à leur apprendre ! Certainement pas ! Et nous nous sommes éloignés de cette idée qu'ils voudraient de vous, à cause de votre grande importance. Pourquoi voudraient-ils de vous ? Ce sont des frères aimants. Ce sont des esprits. Ils ont la connaissance mais n'ont pas votre problème d'image. Tout comme vous, ils évoluent mais sans être à la merci d'une «image».

Ils agissent parce qu'ils vous aiment, pour vous aider. Vous établirez le contact avec eux quand vous aurez le même esprit et le même but. Quand vous aurez dépassé l'idée d'être emportés par un grand vaisseau ou que votre âme soeur est à bord de l'un d'eux; quand vous aurez dépassé toutes ces idées qui constituent le périmètre de la vie, tous ces problèmes d'image, vous aurez alors un grand contact, parce que vous vous serez attiré la pareille.

Au moyen de votre champ aurique, vous attirez à vous ce que crée votre conscience. Vous récoltez les fruits de son expansion. C'est la réalité.

Cette expansion se traduit par le changement. Quand vous changez, le vide se fait autour de vous et laisse pénétrer la joie dans votre vie. Le changement apporte le bonheur. Vous ne savez pas pourquoi, vous êtes tout simplement heureux. Vous attirez à vous comme un aimant le contenu de votre conscience. C'est ainsi que cela fonctionne, bonnes gens. C'est tellement simple.

Tout est relatif.

Ce que vous apprenez ne s'évaporera pas. Aussi sûrement que vous avez fait des changements — changements prenant leur source dans la conscience —, vous pouvez manifester une association avec ces entités. C'est efficace, mais vous devez vous y préparer. Impossible d'être des spiritualistes à la page; vous devez être authentiques. Ces entités ne recherchent pas une image, mais de la substance. Elles recherchent Dieu et l'aptitude à le déployer, à l'être, à le vivre et à l'exprimer.

Elles ne choisissent pas des gourdes. Leur sélection n'est pas basée sur votre popularité, votre richesse ou votre pauvreté; elle est plutôt basée sur votre simplicité. Et c'est à cette dernière qu'elles se révèlent, car en elle réside l'intelligence. Quand vous commencez à vivre votre vérité dans votre vie, vous vous attirez la même chose. Cependant, ne le faites pas parce que vous voulez être populaires. Faites-le parce que vous aimez ce que vous êtes et la force vitale. (La force vitale, c'est la lumière que vous chevauchez quand vous sortez de votre corps.)

Ces entités ont une volonté qui leur est propre. Ne vous est-il jamais arrivé que des amis ne donnent pas suite à une invitation à dîner ? Ces entités vous surveillent. Elles savent très bien qui vous êtes et ce que vous faites. Elles en sont très conscientes. Elles n'ont pas la même vision que vous, mais elles sont très au courant de votre existence.

Lorsque ces vaisseaux vous signalent leur présence, c'est en quelque sorte une salutation, un bonjour. Quand ma fille fit la connaissance du Ram, je dus lui envoyer un «messager» pour la convaincre qu'une telle chose existait et que je n'étais effectivement pas le diable. Ce «messager» était une vieille dame empreinte de sagesse que ma fille alla consulter. Dans le but de la persuader davantage — parce qu'elle était très sceptique —, je transmis par la suite un message au moyen d'une planche Ouija. (Eh oui, je suis sans scrupules !) Ce message disait : «Femme très sage, nous te saluons ! Salut ! Sors dehors pour voir les lumières du ciel.» La vieille dame, ma fille et son époux sortirent tous sur-le-champ et nous apparûmes dans le ciel sous forme de grosses boules de lumière. Nous nous immobilisâmes au-dessus du faîte des arbres, nous nous séparâmes, filâmes jusqu'au plus haut zénith, nous retournâmes et fîmes une démonstration spectaculaire. Tout cela, seulement pour dire «bonjour, nous existons bel et bien», seulement pour convaincre.

Quelqu'un a dit : «C'était probablement un météore !» La mise en scène avait beaucoup trop d'ampleur pour que ce soit un météore.

Les lumières que vous voyez quand vous fixez le ciel nocturne sont une salutation. C'est un «bonjour» préliminaire. Vous en verrez encore davantage. Et si ces êtres semblent timides, c'est qu'ils le sont. S'ils vous apparaissent vraiment et que vous êtes pris d'épouvante en les voyant, il se peut que vous perdiez le plus beau pont de lumière de votre vie. Mais s'ils viennent à vous, dans une lumière radieuse, et que votre Dieu intérieur est transporté d'un amour absolu, vous vivrez une aventure qu'aucun mot de votre vocabulaire ne peut décrire.

Prenez le temps d'apprendre, de transformer votre subjectivité en objectivité. C'est très difficile, mais c'est nécessaire pour pouvoir regarder une entité qui ne vous ressemble en rien. Les films d'horreur et les superstitions vous ont tellement conditionnés que vous voyez le mal et la méchanceté en tout ce qui ne vous ressemble pas.

L'esprit objectif voit cela d'un autre oeil. Grâce à la technique de conscience et d'énergie, vous atteignez la conscience objective, l'inconnu. Et c'est à ce moment que Dieu surgit et entre en jeu.

Cette information est aussi vraie que la respiration. Je veux que vous sachiez que ces entités sont aussi réelles que vos amis de tous les jours. En fait, elles ressemblent beaucoup à votre voisin. Si vous ne faites pas l'effort de leur montrer de l'affection et de l'amour, vous serez incapables d'établir une relation. Souvent, il vous faudra faire le premier pas. Bien sûr, je sais que votre corps est lourd et que vous ne pouvez pas filer dans le ciel, mais un jour vous serez capables de léviter et ce sera tout un exploit. Au cours du procédé que j'enseigne et que j'appelle technique de Conscience et d'Énergie, vous émettez des sons quand vous pompez l'air. C'est ainsi que les maîtres pratiquent la lévitation dans les monastères.

Vous posez des gestes et ces entités vous disent «bonjour». Quand vous les bénissez, c'est une forme de salutation.

Vous devez apprendre à dépasser les limites du casse-tête de votre vie. Plus votre conscience sera épurée, meilleurs seront les contacts. Si vous tentez d'établir un contact avec l'intention de montrer au monde que vous en avez eu un, vous risquez qu'il ne se produise pas. Mais si vous le faites avec tout l'amour dont votre Dieu intérieur est capable, parce que ces entités vivent aussi dans cette conscience, la relation qui en résultera sera merveilleuse. Maintenant, comprenez-vous pourquoi il est important de ne pas prendre cela subjectivement ? En éliminant la subjectivité, vous entrez dans un *esprit grandiose*. Et c'est ce qu'elles sont.

Avez-vous remarqué que beaucoup de gens déménagent ? Ils sont mus par l'esprit. Leur conscience s'éveille et ils agissent en conséquence, bien que leur prise de conscience ne résulte pas d'une apparition angélique.

Sachez que si vous avez entendu l'appel et avez écouté votre esprit, cela en dit long à votre sujet. Si votre esprit vous guide, en harmonie avec cette vérité, avec ces paroles, c'est que vous faites partie des descendants qui verront tout ce dont j'ai parlé et survivront à tout. Nous pourrons alors rétablir la communication et ce sera merveilleux. Les maîtres d'il y a 10 000 ans, les créateurs de ces épitaphes des vivants pourront revenir. Ces statues hautes de 20 mètres et lourdes de 50 tonnes* fixant le ciel, semblent dire : «Nous revenons. Nous ne sommes pas enterrés ici; nous sommes là-bas, là où sont fixés nos yeux. Et nous sommes de retour.»

La communication s'établit quand la conscience est prête. Au cours de votre histoire, certaines civilisations s'y étaient préparées. Elles n'ont pas été détruites, mais ont simplement quitté ce plan. Comme elles avaient évolué

---

*N.d.É.: «On a retrouvé en tout plus de six cent statues... plusieurs atteignent 9 mètres et plus... Une des sculptures inachevées de la carrière de Rano Raraku mesure plus de 20 mètres... son poids est estimé à 300 tonnes... Les statues de l'ahu d'Akivi furent redressées par l'archéologue américain William Mulloy et son équipe... chacune pèse six tonnes...» (Les hauts lieux et leurs mystères, Éd. Club France Loisirs/Éd. Fernand Nathan)

au-delà de cette intelligence, elles sont parties. Elles sont dans une autre dimension et suivent le cours naturel de leur évolution. Tel que déjà mentionné, d'autres civilisations ont disparu en un clin d'oeil.

La conscience doit être prête à s'engager avec ceux qui viennent d'au-delà du Soleil, et vous êtes sur le point de vivre une telle aventure. La prise de conscience est générale. Ceux qui sont incapables de le voir sont morts en esprit. Impossible de changer. Ils ne peuvent vivre sans l'image. Ils sont ce qu'on appelle la «civilisation». Le petit nombre de ceux qui le voient et le comprennent commenceront à faire le pont entre eux, ces maîtres splendides et la connaissance qu'ils souhaitent partager avec vous. S'ils viennent, c'est pour traiter d'égal à égal et non pour leur gloire personnelle.

De deux choses l'une, ou bien votre image «sautera» parce qu'elle sera surchargée à la suite de cette information, ou bien elle vous fera l'écarter et vous vous direz : «C'était bien intéressant, mais ça n'arrivera jamais.» Et cela n'arrivera définitivement pas, parce que vous aurez décidé de n'assimiler dans votre réalité qu'une partie de cette vérité. Le saviez-vous ? Les renseignements que l'on vous donne ne sont que des mots. S'ils deviennent votre vérité, ils attirent à vous cette réalité. Vous devenez alors une vérité vivante !

Nous assistons à un réveil en masse. Chaque civilisation a eu le sien.

Il y a des gens qui réalisent finalement l'état de la planète. Ils protesteront et c'est une bénédiction.

Et un jour, l'humanité sortira de son engourdissement et commencera à s'opposer à la tyrannie, qui ne pourra pas résister à l'assaut. Arrêtons-nous aux chiffres. Seul un petit groupe de gens contrôlent le monde. Qu'arriverait-il si chacun se réveillait et disait : «C'en est assez ! La tyrannie n'a plus sa place dans mon expérience.» ? Ce serait bien la première civilisation à ne pas sombrer dans l'oubli !

L'histoire se répète car la civilisation est une image du passé. L'Amérique est construite sur les cendres de Rome. Le fonctionnement est le suivant : une civilisation se ternit, stagne et disparaît pour tomber dans l'anonymat. Vous êtes loin d'être des libres penseurs et la religion vous en gardera bien ! C'est l'épée de Damoclès des temps présents.

Si tous se réveillaient et disaient «ça suffit !»; s'ils décidaient de prendre d'assaut les gouvernements, les législateurs et ceux qui ont le contrôle pécuniaire, un revirement s'effectuerait. Si suffisamment de gens rejetaient le plastique et disaient : «Donnez-le-moi dans la main»; s'ils coupaient l'électricité et cessaient d'utiliser ce service; s'ils refusaient l'usage de leur voiture, on assisterait à une explosion de génie. Car dans les dossiers des fabricants de voitures dorment des plans pour construire des engins au mouvement perpétuel. Ils ne pouvaient tout simplement pas «se permettre» de les construire auparavant.

Si l'énergie était gratuite, comment alors pourraient-ils contrôler le peuple ? Bien sûr, c'est quelque chose d'impensable !

Ce que vous êtes en réalité, ne le savez-vous pas ? Je vous dirai — ce que vos maîtres ont toujours su — que vous êtes les esclaves des quelques tyrans qui gouvernent le monde. Et chaque fois que vous signez un chèque, vous les approuvez !

Bien que vous puissiez changer plusieurs choses, il en est qui ne peuvent être changées dont, entre autres, l'état de vos océans. Seul le temps géologique ou un secours surnaturel peuvent en venir à bout.

Vous ne pouvez pas les nettoyer. Avec quoi le feriez-vous ? Avez-vous un aspirateur assez gros ou un filtre assez large pour cette tâche ? Disposez-vous de suffisamment de produits chimiques pour dissoudre tout ce que vous y avez jeté ? Et même si c'était le cas, les produits chimiques rendraient les océans stériles. Il faudrait encore 100 millions d'années pour voir resurgir toutes formes de vie, telles que vous les connaissez aujourd'hui. Qu'allez-vous faire ? Aimez-vous toujours manger du poisson ? Vous mangez vos propres déchets. Non, à vrai dire, vous ne pouvez pas déverser une quantité équivalente de produits chimiques dans la mer, mais vous pouvez faire bien d'autres choses.

Ces entités que vous voulez contacter sont ici dans un but très sérieux. Elles sont les seules à pouvoir faire quelque chose pour vos océans, et leurs projets ne vous seront pas révélés. Qu'il vous suffise de savoir que cette aide vous vient d'elles et non des êtres humains. Il est trop tard pour que ces derniers puissent y faire quoi que ce soit.

Saviez-vous que votre ciel est en train de tomber ? Il est en train de se déchirer et de tomber. Je pourrais vous en dire davantage, mais je serais accusé de répandre la terreur sur la place publique.

Parfois, il faut choquer pour réveiller les gens !

Nous devons nous concentrer sur la prochaine décennie. C'est ce que vous êtes en train de changer en ce moment. Quand j'ai mentionné que vous étiez dans ma conscience, sachez que j'étais sérieux. Ceux dont j'ai dit qu'ils étaient des semences de connaissance le sont effectivement. Et je vous informerai pour que vous ne restiez pas dans l'ignorance, pour que vous n'erriez pas dans cette image civilisée sans la vérité. Je veux que vous sachiez comment commander à cette vérité et comment la vivre, de sorte que vous ne preniez pas la fuite lors d'un contact. Je veux que vous ayez suffisamment de connaissance pour avoir le courage de passer à l'action. Vous ne sentirez plus le besoin de vous enfuir et d'alerter les médias pour vous rendre célèbres. C'est ce que font certaines gens, tout comme ceux qui poursuivent des causes par vanité.

Soyez ce que vous êtes et progressez.

Emparez-vous de cette connaissance, élargissez votre conscience et centrez-vous chaque jour. Si vous pouvez vous moucher le nez, vous pouvez pratiquer la technique de Conscience et d'Énergie. Vous ne devriez pas chercher du temps pour le faire. Ce devrait être le moment idéal pour défaire votre notion du temps et créer le *maintenant*. Voulez-vous voir davantage ? Élargissez votre conscience et vous *verrez* davantage. Ouvrez cette petite partie de votre cerveau située près du centre du cerveau. Là se trouve une portion de matière cervicale de la grosseur d'une noix : la glande pinéale. Quand elle s'ouvre sous l'action de l'énergie, il se produit pour ainsi dire un réveil électrique dans cette partie du cerveau. C'est l'endroit le plus sensible parce qu'il permet au «visuel» de voir l'interdimensionnel. (Cela vous permettra de me voir.) Ce processus vous permettra de voir la lumière, de voir «ce qui ne se voit pas». Chaque fois que vous pratiquez la technique de Conscience et d'Énergie, vous pompez et élargissez la conscience pour avoir accès à l'invisible.

Et ne me dites pas que ce n'est pas efficace. Ce l'est. Cette technique fonctionne. Elle fait éclater la joie. Si elle ne réussissait à vous procurer qu'un instant de joie, ce serait là un merveilleux accomplissement. Cette joie vous attirerait la même sorte de réalité.

Durant la prochaine décennie, vous aurez à traverser des temps difficiles. Il faut tenir bon et continuer à vous rendre souverains et libres. Liberté ne signifie pas «mollesse». Les mous sont des sangsues, et les sangsues ne sont pas souveraines.

Vous devez avoir un habitat qui vous est propre. Il vous faut «foncer» pour atteindre la stabilité. Quand tout cela aura été réglé, vous pourrez faire entrer en vous la connaissance qui coulera comme une rivière.

La félicité et le changement vont de pair. Un maître sait tirer profit de chaque expérience et il a le courage d'aller de l'avant. La félicité, c'est ça.

Si vous êtes incapables de tirer profit de chaque expérience et d'y puiser votre courage, vous êtes pris dans l'engrenage. Le trou du casse-tête duquel jaillissait ce mince filet de lumière est à nouveau obstrué par l'image civilisée. Vous retombez dans l'engrenage. Et vous n'êtes jamais plus les mêmes. Jamais.

La félicité consiste à découvrir un instant dénué de l'illusion du passé ou du futur. C'est devenir cet instant, pulvérisé dans le temps. *Avoir la mainmise* sur l'image n'est pas le lot de tous; ils sont en petit nombre ceux qui, au cours de leur évolution, possèdent les germes de l'amour et de la connaissance leur donnant le courage de s'attaquer à cette image. Ils ne sont ni méchants ni rétrogrades pour autant. Il en est ainsi tout simplement.

Ces paroles sont dures, car elles évoquent le changement et celui-ci implique la douleur. La plupart des gens ne persévèrent pas; ils s'arrêtent en chemin. Ils reculent à cause de la douleur et ne profitent jamais pleinement de l'expérience; la sagesse en est absente. Ils ne récoltent que regret, souffrance, agonie et tristesse.

Mes semblables sont des entités superbes. Leur beauté dépasse votre conception de la beauté visible. Ce sont les chariots de feu de jadis.

Ils continuent de revêtir l'identité de la Vierge Marie pour transmettre un message à l'Église et essayer de la changer, la pauvre. Bien des mamans Marie se sont succédées ! Il faut agir ainsi avec les gens. Il faut leur présenter une image qui soit crédible. Pour certains d'entre vous, ce qu'ils verront leur semblera absurde. Ils sont incapables de voir la vraie facette de l'image. Ils en seraient effrayés et se fermeraient tout à fait à l'expérience. Il faut, par conséquent, leur montrer des *symboles*. Le Livre des Livres abonde en symboles, à la seule fin de faire passer un message à l'humanité.

Ces grands dieux existent toujours. Et ils pourraient certainement être eux aussi considérés comme coupables. Faut-il vous rappeler qu'ils transigent avec des gens à la mentalité très étroite, superstitieuse, ignorante et peureuse. Il s'ensuit qu'ils doivent vous servir la vérité, en tenant compte de votre réceptivité. Comme il sera beau le jour où vous pourrez les voir sans image.

Rappelez-vous qu'ils ont également une destinée à remplir et celle-ci implique aussi un processus d'évolution. Comme vous comprenez les choses uniquement sur un plan linéaire, partant du point A jusqu'au point B, votre esprit ne peut saisir leur destinée, qui est d'*être* Dieu, d'être tout ce qu'il leur est possible d'être.

L'ennui n'est pas inhérent à la nature humaine; c'est une mort de l'esprit. (Nous faisons référence tant aux humains interdimensionnels et interstellaires qu'à ceux des univers parallèles). Sur le plan historique, les civilisations sont tombées dans l'oubli parce qu'elles se sont répétées et sont demeurées prisonnières de l'image; elles n'ont jamais évolué. Ces entités évoluent. Elles ont une destinée qui leur est propre.

Maintenant, à votre tour de passer à l'examen. Vous êtes terriens. Vous n'avez pas de vaisseaux de feu pour sillonner les cieux la nuit. Vous n'avez pas d'ailes et ne mesurez pas 2,30 mètres. Votre peau n'est pas lumineuse. Pourtant, vous êtes quand même Dieu. Vous valez tout autant que ces entités. N'allez jamais vous croire inférieurs à quiconque. Seul votre stade d'évolution diffère. En tant que Dieu, votre destinée est aussi valable que la leur. En tant qu'êtres humains, vous avez un rôle à jouer; et votre esprit vous y incite.

Je n'étais pas obligé de venir ici vous transmettre cette information. Vous n'avez aucune idée des difficultés que cela comporte. Je sais que certains se demandent si je suis un maître digne de ce nom. Mais, ne vous êtes-vous jamais demandé ce que je pensais de vous ? Êtes-vous dignes de cet enseignement ? Êtes-vous dignes d'amour ? Une chose très importante que j'aime à votre sujet, c'est que vous êtes Dieu. Voilà ce que j'aime.

Vous avez votre propre destinée et vous en ferez ce que vous voudrez, selon les exigences de votre esprit qui veut votre évolution. Et c'est une bonne chose, parce qu'il est possible que votre prochaine vie soit là où sont maintenant ces entités.

Votre prochaine existence sera peut-être vécue sur une planète lointaine, avec un Soleil bleu au lieu d'un jaune. Et qui vous dit que votre vie présente est la pire de toutes ? C'est un pas dans l'évolution. Linéairement parlant, imaginons votre vie comme une série de pas sur une échelle de sept niveaux où chacun d'eux laisserait une empreinte. Chaque empreinte représente une vie, ou un groupe de vies, source d'illumination. Et d'un pas à l'autre, le suivant est toujours plus grand. L'existence actuelle est donc un grand pas dans votre évolution.

Quel sera le prochain pas ? Il n'existe que dans l'instant présent. Voilà ce qui est important : *maintenant*. N'allez jamais regarder ces entités et souhaiter être à leur place. Si vous le faites, vous vous dévaluez. Ne désirez jamais vivre quelque part ailleurs. Si c'est le cas, vous détruisez votre réalité. Soyez qui vous êtes et évoluez. Il en résultera des aventures encore plus spectaculaires que tout ce que vous auriez pu imaginer.

Ce qu'il faut retenir, c'est que vous méritez tout cela.

Vous faites tous partie d'une tapisserie géante, d'un plan grandiose. Vous êtes les fils composant la trame de cette tapisserie. Il se peut que vous l'ignoriez car vous ne pouvez pas tout savoir maintenant. Vous en viendrez à savoir tout cela. Mais sachez que ce que vous apprenez ici est très important pour les temps futurs.

Bonnes gens, rien de l'image
ne peut vous rendre heureux.
Rien du passé n'est digne de souvenir.
Rien du futur n'est digne d'espoir.
Seuls existent cet instant, Dieu et la découverte
de soi.
Car cela est éternel.

CHAPITRE 8

La conscience et l'énergie créent la réalité dans son essence

Je n'ai pas dit que c'était la fin du monde, mais que le monde se mourait. Il reçoit cependant du secours, un grand secours.

Votre monde doit changer.

Nous avons parlé de l'image et du casse-tête dans le cercle de votre réalité et nous avons appris comment il faut fracasser l'image. Eh bien, il en est de même du monde : c'est la force vitale et il doit aussi changer.

Ces grands frères, ces maîtres anciens, sont ici pour participer à ce changement. Et vous y participerez également. Vous devez le faire, sinon vous disparaîtrez comme hier. Je n'ai pas dit qu'en ne participant pas, vous alliez disparaître. Et je n'ai pas dit que le monde allait être réduit en cendres. Il suffirait pourtant de peu pour que cela se produise. Votre atmosphère est très instable. Les contrôleurs de la mort — ceux qui contrôlent la distribution de la matière — sont dans une situation très précaire. Mais en changeant la conscience en supraconscience, il est possible de faire surgir un ciel nouveau et une terre nouvelle. En l'occurrence quand je dis «ciel», je fais référence au firmament, aux nébuleuses; la «terre nouvelle», quant à elle, signifie une personne changée, une mère en transformation.

Je tiens à mettre les choses au point. Je sais combien vous prenez tout à la lettre et hors contexte. Ce ne sera pas la fin du monde; ce sera la fin des civilisations. Elles sont déjà sur leur déclin. Mais, de toute façon, il faudra que le monde change.

Ce que vous apprenez au sujet de l'intelligence interdimensionnelle est de première importance. Pour faire partie de la supraconscience et du monde nouveau, il vous faut l'acquérir. La technique de Conscience et d'Énergie vous permet d'y accéder. Au fur et à mesure que grandira votre conscience et que vous saisirez ce qu'est l'objectivité, vous recevrez une connaissance accrue.

Plusieurs parmi vous sont dans ma conscience — pas tous, mais plusieurs. Et ceux-là seront nourris d'illumination. Ils travaillent à s'en rendre dignes et, en revanche, cela leur attirera l'expérience que requiert cette illumination.

Pour la plupart, vous devez faire croître votre semence. Vous faites partie d'un plan magnifique. Je sais que vous pourriez aisément replonger dans l'image, à la pensée que vous ne pouvez faire aucune différence tant vous vous sentez petits. Je vous ai vus vous convaincre de votre médiocrité et vous sentir accablés. Je vous ai vus entreprendre des changements, élargir votre conscience et ensuite, prendre panique. Car au fur et à mesure que le changement entre dans votre vie, votre vieille identité commence à s'évanouir et vous vous sentez sans défense. Vous atteignez un point où vous ne savez plus comment vous définir. Il se peut que vous l'ignoriez, mais c'est un excellent signe d'illumination !

De même, quand vous commencez à pratiquer la technique de Conscience et d'Énergie, vous pensez que l'inconnu est sans fondement. Comprenez que c'est un mythe. L'inconnu est là pour être consumé par la conscience. Il vous soutient puisque c'est ce qui fait de la vie CELUI QUI EST. Vous devez consumer l'inconnu pour grandir. Vous êtes soutenus par votre Dieu.

Je sais aussi que vous recherchez des signes. Mais ne savez-vous pas que les signes sont uniquement des synonymes du passé ? Pour vous rassurer, il vous faudrait une image du passé. Le vide est en lui-même un signe. Il représente l'esprit endormi qui s'éveille. Il est indispensable, et ce voyage est solitaire.

Regardez la façon dont je m'y prends pour communiquer. Vous entendez une voix, vous voyez un corps et cela vous aide à identifier ce qui se dit ici. Mais derrière ces yeux, il est une puissance qui vous aime et vous accompagne jusque dans ce vide. J'y suis allé moi-même et en suis revenu. Je connais votre destination et je sais ce qu'il en coûte.

Un jour, quand la tapisserie sera achevée, vous pourrez voir le portrait tout entier et le remarquable rôle que vous avez joué dans sa confection. Vous serez en vie pour le voir !

J'ai mentionné plus haut que l'objectivité était nécessaire pour atteindre l'intelligence interdimensionnelle. Comprenez que nous avons très peu de temps pour réaliser ce but. Certaines entités étudient toute leur existence, à la seule fin de se débarrasser de leur image. D'autres passent leur vie entière à apprendre des techniques de respiration et l'objectivité. Nous passons outre à cela et tentons de parvenir à l'objectivité en un temps aussi bref que possible. Il nous a fallu prendre un rendez-vous dans votre réalité. Et quelque part dans son petit périmètre, nous travaillons à renverser votre conditionnement, votre comportement de victime et votre subjectivité d'esprit pour créer une vision objective. C'est la seule manière d'élargir la conscience. Quand vous pratiquez la technique de Conscience et d'Énergie, vous allez dans le sens de l'objectivité. Votre conscience progresse. Vous «fracassez» l'image; vous la brûlez instant après instant. Dans le drame humain, il n'y a pas de méthode plus efficace.

Je sais que vous êtes fortement tentés de retourner à la subjectivité. C'est un point de vue. Vous avez la tentation de quitter le désert, pour ainsi dire, et de retourner là d'où vous êtes venus. Cela vous est familier alors que ceci vous est étranger. Comme il s'agit d'une rencontre avec un esprit étranger, vous devez créer un esprit étranger. Tous n'y seront pas prêts. C'est pourtant la chose la plus simple qui soit. Il vous suffit de réussir à vaincre votre rigidité, aussi bien au niveau corporel qu'au niveau de votre processus de pensée.

Vous faites la différence par les gestes que vous posez. Votre premier pas vers la communication commence à l'intérieur de vous.

Rien dans l'image ne pourra jamais vous rendre heureux. Jamais ! Rien du passé n'est digne de souvenir. Rien du futur n'est digne d'espoir. Seuls existent cet instant, Dieu et l'accomplissement de soi. Car cela est éternel.

Vous pouvez bénéficier des meilleurs enseignements. Vous pouvez même réécouter mes enseignements précédents et vous astreindre à un discours plus ou moins clair, parce qu'à l'époque je ne connaissais pas très bien votre langage. Tout cela semblait très mystique. Je vous tiens pourtant le même langage aujourd'hui.

Vous pouvez le faire. Il suffit de le vouloir. Vos pirouettes et vos simagrées ne feront que gonfler l'image qu'un jour ou l'autre vous devrez, de toute façon, fracasser.

Le seul fait d'élargir la conscience vous met en contact, non seulement avec le royaume des cieux en vous, mais aussi avec votre Dieu intérieur, votre moi. Cela renforce votre destinée et permet à l'esprit d'avoir emprise sur la chair. Ainsi, vous tournez les pages de votre livre de vie. Et votre Dieu intérieur n'aura de répit que lorsque votre destinée sera accomplie. Vous n'aurez plus à désirer quoi que ce soit; ce Dieu-là fera en sorte que tout arrive. Il connaît très bien vos besoins. Ce n'est même pas nécessaire de demander. Demander, c'est vous séparer. Il vous suffit d'*être* simplement.

Le fin mot de tout ceci, c'est que vous pouvez le faire. Un instant suffit à votre esprit pour faire la jonction avec l'intelligence universelle. En dehors de cela, il n'y a que couches de détritus, pollution spirituelle, ignorance recyclée.

Vous ne serez plus les mêmes après avoir lu ce livre. Son contenu renforcera votre moi et votre divinité. Vous percerez les illusions. Cette information vous aidera à trouver la joie et la force de manifester la réalité dont on a tant besoin. Et vous aurez la grâce de triompher de tout, avec le seul petit fil nécessaire : Dieu.

Un petit nombre a rejeté mes enseignements. Ce n'était pas ce à quoi ils s'attendaient. Il doit en être ainsi. Ne faites jamais rien que vous ne voulez pas faire. Ne vous trahissez jamais, car c'est ce qui constitue une image et il est très difficile de s'en débarrasser. C'est pourquoi un maître contrôle tous les aspects de sa vie afin de goûter l'instant christique. Si toutefois vous désirez faire quelque chose, faites-le. Et pour ce faire, vous devez déplacer les montagnes. Parce que *vouloir* est nécessaire à l'évolution de soi.

Le monde est matière dans l'attente d'une transformation, d'une transmutation en une énergie supérieure. Le corps humain est aussi matière attendant d'être transformée en homme ou en femme sage. Ce processus de transmutation, c'est l'alchimie de la matière. Quand survient cette alchimie, elle libère une énergie divine. Et au même titre que la matière se transforme quand on connaît les secrets de son énergie, ainsi en est-il du corps humain. C'est de la matière attendant d'être transformée et transmutée pour pouvoir libérer son énergie. C'est cette énergie d'homme ou de femme sage qui attire les super-entités, les Seigneurs du Cosmos. C'est cette énergie qui attire la super-vie. Nous parlons ici de transfiguration. Quand vous transmutez la matière, vous obtenez une nouvelle forme de vie.

Un alchimiste qui veut transmuter la matière vivra dans une pauvreté extrême et utilisera chaque jour la même méthode. Ce changement lui prendra peut-être sept ans de travail assidu avant d'en arriver à un résultat. Il se privera de nourriture, de vêtements ou de chaleur pour veiller à son athanor et exposer quotidiennement la même matière aux flammes, dans l'attente d'une transformation. Et il attendra... Pourquoi ? Parce que si l'alchimiste est capable de voir dans son creuset les étoiles orbitant dans un liquide noir, il aura alors transmuté la matière; il sait que le processus en question est lié à sa propre transformation. Il est prêt à attendre ce moment. Car à l'instant béni où il transmutera la matière, il sera lui-même transformé, transfiguré et sa conscience, libérée de la matière. Il pourra, par conséquent, contempler le monde entier, voir ses illusions et s'en libérer pour toujours. C'est sa voie. C'est la même voie qu'un maître emprunte, celle de la transfiguration.

Le monde est matière attendant d'être transformée en une source d'énergie plus puissante. L'être humain est matière attendant d'être transfigurée en homme ou en femme sage attirant la supraconscience.

La transfiguration est une oeuvre alchimique, une oeuvre de l'esprit. Et, par le biais de la conscience, l'esprit travaillera sans relâche pour transformer la matière, l'illuminer afin d'en libérer l'énergie. Si vous vous rappelez bien, je vous ai incités à dépasser les limites de votre rigidité, je vous ai dit que vous étiez supérieurs à votre corps physique et que vous étiez éternels. C'est une protestation à l'adresse de votre esprit, afin qu'il libère votre énergie. C'est un ordre donné à l'alchimiste en vous de se transformer pour que vous soyez affranchis. Pourquoi se donne-t-on tant de peine ? Parce que c'est le prochain pas vers une évolution au sein de laquelle la spirale du temps sera pulvérisée. Vous avez rapidement tourné les pages quatre, cinq et six du livre de vie, et vous êtes à la septième.

En vous transfigurant, vous attirez les Seigneurs du Cosmos. Vous libérez une énergie qui est comme du miel, comme un élixir pour ces super-entités, une énergie dont l'essence est magnétique. D'un côté, l'aimant dégage cette réalité de tout ce qui n'est plus progressif; de l'autre, vous vous attirez ou magnétisez à vous le vaste inconnu.

La seule façon de transmuter la matière, c'est de la transformer. Une entité qui le fait n'est pas un sorcier mais un alchimiste. L'alchimiste intérieur est votre esprit dissolvant le physique pour en transformer l'énergie.

Grâce à la technique de Conscience et d'Énergie enseignée à mon école, je stimule les gens à travailler sans répit, même quand le corps ne veut plus avancer et n'a plus de souffle. Car à l'instant précis où vous dissolvez le physique, l'esprit prend les rennes et vous vous transfigurez. À ce moment, vous libérez l'énergie explosive d'une conscience inconnue. C'est cette énergie qui vous révèle tout ce que recèle l'inconnu. C'est elle qui attire les super-entités, le génie et tout ce qu'une seule vie ne pourrait jamais vous permettre de concevoir.

Donc, pourquoi l'alchimiste se lève-t-il chaque jour de son grabat, se nourrissant d'un peu de thé et de pain, et se remet-il à la tâche ? Parce qu'il sait — et vous devriez le savoir aussi — qu'il peut se transformer et libérer son énergie, tout autant que la matière.

Souvenez-vous que vous ne faites qu'un avec la force vitale. La relativité s'applique à tout. Et l'alchimiste attend l'instant de son affranchissement, l'instant de son Christ.

Vous devez donc, par un effort conscient, inciter l'alchimiste en vous, votre dieu spirituel, à se transfigurer. Vous devez briser la rigidité de la masse, maintenue par nulle autre que votre conscience.

Si vous êtes aveugles ou sourds, c'est vous qui le déterminez. Il en est de même pour votre corps; il ne fait que suivre les ordres. Mais par la technique de Conscience et d'Énergie, vous rompez les ordres, vous dissolvez le physique. Vous l'exténuez, au point de ne plus avoir la force d'évoquer l'esprit. C'est l'instant que ce dernier choisit pour entrer en action. Il se produit à ce moment-là une régénération, un rehaussement. Vous pouvez alors convertir la chaleur en froid, et vice-versa. Le corps guérit puisqu'il est habité par une nouvelle conscience, puisqu'il est transfiguré.

Quand vous vous adonnez à la technique de Conscience et d'Énergie, vous évoquez l'alchimiste, le dieu en vous. Vous faites appel à la puissance, à la conscience qui transforme la matière et dissout le physique pour le changer. Et par la même occasion, vous fracassez l'image afin que puisse jaillir l'éclat de lumière de la conscience, laissant passer son énergie à travers un nouveau vase qui attire Dieu.

Vous aurez beau vous asseoir et respirer profondément toute la journée — le faire même tout le reste de votre vie —, vous n'obtiendrez pour tout résultat que des poumons plus puissants. Vous aurez beau essayer de reproduire cette technique telle que vous l'avez comprise, sans la connaissance ce sera sans effet. Sans elle, la technique ne sert qu'à glorifier l'image; elle devient tout simplement un dogme de plus. Vous aurez beau porter vos cristaux, vos crucifix et vos zircons; lire vos livres saints et vos livres profanes; répéter vos mantras — qui hypnotisent et figent l'âme — cela ne fera aucune différence. Comment évoluerez-vous sans la friction de la vie ? Comment évoluerez-vous sans désintégrer la matière et transformer l'énergie ? Il faut vivre la vie.

Chaque fois que vous pratiquez la technique de Conscience et d'Énergie, vous retournez et broyez la matière; vous réduisez la limitation de la conscience en poussière. Et ce procédé embrase. La chaleur qui se dégage de votre corps transforme ses cellules. C'est un souffle de vie, un pouvoir inconnu qui s'extériorise et guérit. Chaque fois que vous respirez selon cette méthode, vous gonflez vos cellules de vie. Votre peau rajeunit; vous êtes en meilleure santé. La maladie n'a pas de place quand vous aspirez le souffle de vie pour dissoudre la chair et la transformer. C'est un effet secondaire.

Et la joie règne quand l'alchimiste sait qu'il approche de son but, après 63 ans d'efforts. Il se lèvera un matin de plus, allumera le four et sortira sa coupelle. Il y verra la matière courir comme une rhapsodie en bleu tandis que les étoiles, ces diamants de l'éternité, brilleront intérieurement. À ce moment-là, il ne sera plus; il appartiendra à l'éternité. Il sera devenu pour toujours la matière qu'il avait transformée.

Le monde est dans l'attente d'un changement, tout comme la matière. Il se meurt. Il faut qu'il soit transformé. L'humanité attend que la psyché humaine entre en action et qu'elle soit de ce fait transformée. Le corps humain attend de devenir lumière. Il attend une renaissance.

C'est ce magnétisme, ce souffle, le souffle de vie, qui vous procure l'éternité. Pour que l'infini vous soit donné, vous devez vous transfigurer et changer. Et vous devez vouloir changer. Il faut le vouloir. Car en utilisant cette technique, vous élargissez votre conscience. Vous pouvez vous créer un terrible enfer, si vous ne voulez pas vraiment ce que vous aurez obtenu. Il vous faudra alors transiger avec le résultat. Votre création est sans jugement, sans retenue. Si vous lui demandez de se manifester, c'est un ordre, elle doit s'exécuter. Tout ce que votre conscience crée correctement se magnétise et devient votre réalité. Cela se produit à l'instant où vous le décidez.

La manifestation, c'est l'effet secondaire d'une matérialisation de la conscience.

Êtes-vous prêts à franchir ces portes ? Êtes-vous disposés à voir disparaître certains éléments de votre réalité parce qu'ils n'y ont plus leur place ? Quand cela se produira, retournerez-vous en arrière pour les reprendre ? Serez-vous surpris de ne plus pouvoir communiquer avec les gens ? Serez-vous surpris de trouver la joie dans votre âme ?

Comment obtenez-vous l'intelligence inter-dimensionnelle ? Par la transfiguration. Quand cette transmutation s'amorcera, vous le sentirez. Vous commencerez à être plus légers que l'attraction terrestre. À ce moment-là, vous serez supérieurs à votre corps.

C'est le maître véritable qui s'éveille. Ce n'est pas un maître en philosophie, mais un alchimiste suscitant le changement.

La libération de cette énergie vous attirera les super-entités, peu importe le temps, les dimensions et les barrières.

Ce que vous attirez est proportionnel à ce que vous êtes. En libérant de l'énergie, vous vous attirez ces entités de façon magnétique parce que vous êtes liés par le destin. Ce magnétisme est relatif et il se moque du temps linéaire, de la distance, de l'espace ou des dimensions. J'ai créé la technique de Conscience et d'Énergie au cours de mon existence, à l'insu de tous. Plus tard, on allait résumer cela à la position du lotus, les mains reposant sur les genoux en signe de réceptivité. Comme un paresseux décida que la position initiale était trop difficile à maintenir, on adopta cette position en attendant que l'énergie — ou kundalini — monte le long de la colonne vertébrale. Qu'est-ce que la kundalini? C'est l'énergie concentrée à la base du coccyx. (C'est la même vérité qu'on a tout simplement transformée en dogme, en mythe.) La seule façon de la faire monter, c'est de demander à l'esprit qu'il le fasse. C'est l'oeuvre du soi, de l'alchimiste. Aucune méditation spirituelle ne la fera réagir, pas plus que la lumière, les cristaux, la nourriture, le vêtement ou la température. C'est la technique de Conscience et d'Énergie qui fait réagir l'énergie. Dieu lui commande.

C'est ainsi que j'ai fait mon ascension dans les dimensions. Je suis familier avec la transfiguration. C'est un effet secondaire du moi accompli. C'est ce que je vous enseigne. Personne d'autre sur cette planète ne connaît cette technique. Certains en font une imitation, mais ils ne la maîtrisent pas parce qu'ils ne comprennent pas la signification du mot transformation. Ils ne connaissent rien à la transfiguration parce qu'ils sont toujours séparés d'eux-mêmes. Ils ont de Dieu une notion nébuleuse, ils ne comprennent que le dogme.

La technique appelée Conscience et Énergie est une science. C'est un secret parmi d'autres. Quand vous la pratiquez, vous acquérez une connaissance qui fait exploser votre conscience. Chaque fois que vous vous y mettez, vous libérez de l'énergie, vous devenez plus divins et plus magiques. Ce procédé devrait avoir priorité sur toutes choses. Si vous souhaitez accomplir tout ce dont les maîtres de l'antiquité étaient capables, si c'est la méthode pour être

Dieu — et c'est le cas — vous devriez souhaiter qu'elle ait priorité sur votre repas.

Elle guérit le corps par un processus de désintégration, de restauration et de changement. Elle en brise la structure pour le changer et le guérir. Elle gardera au corps sa jeunesse. Celui-ci ne vieillira pas et, qui plus est, ne mourra jamais à moins de lui en donner la permission.

La technique de Conscience et d'Énergie vous fera déborder d'une énergie qui vous rendra plus légers que l'air. Vous ferez l'expérience de la lévitation, si c'est ce que vous voulez. C'est ainsi que font les moines. Vous pourrez contrôler la chaleur et le froid. Les changements de température dans votre corps deviendront bientôt un phénomène extérieur; vous pourrez changer également la température ambiante. Il en est ainsi. D'un seul signe de la main, les choses se produiront. Mais être transfiguré en un Christ/Dieu/homme/femme accompli, en tout ce que vous pouvez être, en un être éternel, voilà la récompense.

La technique de Conscience et d'Énergie brûle l'image et sa réalité. Les gens ne vous comprendront plus. Plusieurs seront incapables de communiquer avec vous. Certains vous quitteront. Votre entourage sera mécontent parce que vous ferez des changements. Quand ceux-ci surviendront, n'en soyez pas surpris et ne commencez pas à vous comporter en victimes. Puisque vous avez demandé ces changements, tenez-vous prêts à les assumer.

Ils sont le prochain pas dans l'évolution. Ils représentent l'aube où la matière est broyée et exposée aux flammes. Comprenez-vous ? Ne vous surprenez pas si les appareils électriques font défaut. Il en est tout simplement ainsi. Et ne vous étonnez pas si vous devenez transparents. Cela arrive tout simplement. Cela fait partie du processus.

Ce n'est pas un phénomène; c'est la vérité. Être ce que vous êtes, c'est la récompense; tout le reste vient en second. Mais la transformation est nécessaire, sinon vous restez dans l'engrenage. Et votre image se couvrira d'une autre couche de sirop, additionnée d'un brillant vernis et de méditations langoureuses sur l'amour et la voie enchantée. Et pour en rehausser l'apparence, vous y ajouterez quelques cristaux et quelques gravures de votre guru ou de Jésus sur la croix. (Le moins que vous puissiez faire serait de l'enlever de la croix !)

Si vous persistez à enterrer votre image, jamais vous ne connaîtrez Dieu et jamais vous ne ferez d'expérience extraordinaire. Vous continuerez à vieillir, en dépit d'un régime composé de fruits et de grains. (Ce n'est pas *votre diète* mais *ce que vous êtes* qui fait la différence). Vous vous sentirez encore malheureux, malgré vos nombreux mantras. Vous serez encore des sangsues, désormais incapables de faire votre chemin dans le monde. Et vous ne mériterez pas d'être aidés parce que vous n'aurez pas fait d'effort. Vous demeurerez spirituels, et divins, et cetera, et vous mourrez. Comme vous n'aurez jamais magnétisé à vous la magnificence, vous n'entrerez jamais dans la légende.

Un petit nombre seulement est prêt à entendre la vérité. Ceux qui y parviennent le font grâce à un esprit pur. Et ce pouvoir, ce n'est pas l'image qui vous le procurera. En fracassant l'image, cette information est par conséquent protégée. Même si vous aviez l'intention d'utiliser cette information à des fins destructrices, vous ne le pourriez jamais; vous n'en auriez jamais le pouvoir. Il vous faut renaître, et renaître consiste à vous défaire de ce petit chromosome génétique, de ce besoin inné de destruction.

Si donc vous apprenez ce procédé et tout en le faisant parfois, vous pensez que vous ne parvenez à rien, c'est bel et bien le cas. Vous le faites uniquement pour l'image, pas vraiment pour changer. Par conséquent, vous ne changerez pas.

Tout est relatif, autant le magnétisme que l'unification. Si vous voulez de grandes choses, il faut devenir de grandes choses.

Est-il possible de revenir à hier ? Non, parce qu'hier n'est plus. Vous le savez tout aussi bien que moi. Tout ce que vous pouvez faire, c'est recréer aujourd'hui les images d'hier. L'Amérique est construite sur les cendres de Rome. L'histoire se fait aujourd'hui. Vous pouvez entraver ce processus de croissance et être encore conscients, jusqu'à un certain point. Mais ce désir et cette faim subsisteront toujours, et les années s'écouleront comme une rivière avant que vous entendiez à nouveau les mots «Voici Dieu». Ces mots auront sur vous un impact éternel. Quand on évoquera votre grandeur, vous en serez émus. Et il vous faudra vivre tout en sachant que vous n'avez pas choisi d'être tout ce que vous pouviez être. Vous saurez qu'il manque quelque chose à votre vie.

Votre alchimiste connaît-il une limite à sa grandeur ? On peut le définir par le mot «suprême». Et s'il est suprême, il est sans égal, il est tout simplement. Vous êtes simplement, le savez-vous ? Bien sûr, il n'appartient qu'à vous de décider ce que vous faites de cette affirmation. Vous avez toujours le dernier mot.

Cela signifie-t-il que vous deviez sacrifier ce auquel vous tenez ? Jamais. Purger votre réalité de ce qui l'encombre devrait se faire tout naturellement. Si quelque chose vous tient à coeur, c'est que vous n'êtes pas prêts à vous en défaire. Si vous le faites quand même, il n'en résultera que du regret, du mécontentement personnel et de l'aigreur envers moi; et vous ne voudrez plus rien savoir de cette information. Ne le faites pas. Allez à votre rythme. Votre Dieu, l'alchimiste, vous fera évoluer naturellement vers ce qui vous convient. Au moment opportun, ce qui doit être éliminé de votre vie le sera. Vous n'aurez pas à forcer les événements, ils se produiront d'eux-mêmes. Inutile de vouloir hâter les choses quand vous vous adonnez à la technique de Conscience et d'Énergie; vous les suscitez en le faisant. Votre rôle est de faire des choix; et ceux-ci sont les portes que vous devez franchir.

Après vous être mis à l'oeuvre, il y a des choix à faire. Vous ne dépendez pas de votre entourage, souvenez-vous-en. Ce n'est pas lui le seigneur de votre être, celui qui vous dicte votre destinée; et il ne mourra pas pour vous. Vous êtes seuls face aux décisions à prendre. Et plus vous irez de l'avant, plus l'amour vous viendra à profusion et plus votre compréhension grandira. Cela s'appelle la grâce.

Et si les gens disparaissent de votre entourage, permettez-le-leur. La grâce vous procurera la force de les aimer inconditionnellement. Laissez-les partir. Et s'ils n'aiment pas ce que vous faites, comprenez qu'ils ne comprennent pas. Ils auront tout simplement perdu un miroir. Vous êtes une réflexion d'eux-mêmes. Vous savez, ce n'est jamais vraiment vous qu'ils voient; c'est eux qu'ils voient en vous. Vous êtes sortis de leur réalité et ils vous y veulent toujours pour maintenir la communication. Retourner en arrière signifierait replonger dans l'image, car l'image est le miroir de leur réalité. Il vous faut prendre une décision. À vous-mêmes plus qu'à quiconque, vous vous devez la vérité.

La transfiguration, c'est avant tout être vrai envers soi-même. Même si vous êtes seuls à le faire, vous devez être fidèles à ce précepte. Il le faut.

«Il y a plusieurs demeures dans la maison de mon Père et je vous quitte afin de vous en préparer une.» C'est vrai en partie. Dans la conscience — et au-delà de ces étoiles — existent plusieurs demeures et vous attendent plusieurs aventures qui dépassent tout entendement. Pour comprendre, il vous faudrait expérimenter la vie sous ses formes les plus variées. Les demeures de la joie représentent celles de la conscience. Vous mettez de côté la souffrance et la douleur. Il est vrai qu'au ciel la douleur n'existe pas. Il en va de même pour la souffrance, la peine et la maladie. Le ciel, c'est la conscience dans laquelle vous pénétrez lors de votre transformation, laissant toutes les illusions derrière vous. Elle s'enroulera sur elle-même comme un parchemin lors des derniers jours, lorsque prendra fin cette tranche de l'évolution, et ne laissera aucune trace.

Votre destination n'est donc pas nébuleuse et risquée au point de vouloir retourner à la douleur du passé. Vous vous dirigez vers un inconnu, vers une conscience où vous attendent des aventures hors de la chair. Et c'est la récompense d'une personne transfigurée.

En somme, durant toutes vos vies, vous recherchiez la résurrection de l'esprit. Et c'est ce que certains maîtres minables ont tenté de vous enseigner. La résurrection de l'esprit signifie que vous devez renaître, c'est-à-dire réduire l'image en cendres et créer une réalité nouvelle, un royaume nouveau. Ce faisant, vous brisez l'image, la chair, afin qu'elle puisse ressusciter dans la conscience. C'est la façon de faire. Vous n'avez pas à mourir sur une croix; vous avez déjà subi la mort dix millions de fois. Vous devez être transformés.

À chaque jour, soyez le maître. Avant de manger, mettez votre conscience à l'oeuvre, libérez énergie et puissance. Un matin viendra où, en regardant dans votre creuset, vous verrez courir une rivière de rhapsodie en bleu remplie d'étoiles scintillantes qui vous diront: «Entre chez-toi».

Une multitude d'aventures vous attendent. Vous êtes en train de magnétiser beaucoup de choses; vous les méritez parce que vous les avez créées. Il vous faudra créer en abondance, et par vous-mêmes. Il est impossible de faire partie de mon armée sans être mes égaux. Je vous guide, je vous pousse, il est vrai; mais je sais que vous êtes mes égaux. Un jour, vous le saurez aussi. Il faut me faire confiance, car je viens de l'endroit où vous vous rendez. J'en connais le chemin et le panorama. Si donc je vous semble sans pitié, c'est dans votre intérêt. Tout est pour vous faire goûter ce glorieux instant de transfiguration corporelle, où le moi se réveille et devient Dieu. En cet instant de conscience, tout ce qu'on appelle éternité par-dessus éternité se crée pour vous.

Les aliénigènes existent-ils ? Oui. Existent-ils ici, dans votre monde ? Oui. Quand vous passez la frontière, n'êtes-vous pas aussi considérés comme des étrangers ?

Ces vaisseaux splendides existent-ils vraiment ? Oui. Ont-ils joué un rôle dans votre histoire ? Ont-ils contribué à confectionner la tapisserie de la civilisation ? Dans son essence, oui.

Peu importe de qui venait l'assaut, le motif en a toujours été la gloire de l'être humain et celle de Dieu.

Vous connaître vous-même devrait être votre priorité. Cela devrait passer avant tout, avant même de songer à la conquête des autres. La cosmologie dont vous êtes le chef-d'oeuvre défie toute explication humaine, car elle en est l'essence même. On l'appelle Dieu, Conscience et Énergie, Force vitale.

Votre intelligence — et votre capacité d'intelligence — vaut bien celle des habitants de n'importe quelle galaxie ou dimension. Vous possédez les clés vous donnant accès à tout cela.

Avant de partir explorer sous les roches, parmi les buissons et les ronces, il faut d'abord vous découvrir vous-mêmes.

Ces entités existent. Leur gloire est légendaire. Elles sont capables de vous étonner et souhaitent partager avec vous leur magnificence.

La loi régissant toute réalité veut que cette dernière soit à l'égal de son créateur. Ce que vous êtes en conscience, vous l'attirez dans votre vie. C'est ce qui constitue votre réalité. Tous sont soumis à cette même loi, quels que soient leur apparence, leur mode de transport ou leur style de vie.

Les aliénigènes qui ont fait l'objet de notre discussion le comprennent peut-être mieux que quiconque sur ce plan. Ces lois n'ayant plus de secret pour eux, ils s'en servent à des fins techniques.

Vous apprenez les lois du magnétisme et de l'égalisation. L'expérience que vous ferez n'aura d'égal que votre propre excellence. Elle sera proportionnelle à ce que vous êtes.

En travaillant constamment à la découverte de vous-mêmes et à votre développement, votre conscience porte fruit et vous vous attirez la pareille, peu importe la dimension, le temps ou la réalité.

La vie des gens illustres est cousue d'inconnu. Ce qui fait leur grandeur, c'est leur conscience. Elle est le fruit de leur labeur, de leur intelligence et de leur qualité de vie.

L'excentrique est de beaucoup plus évolué que le civilisé.

Ce n'est pas de la folie mais de l'audace que de vouloir entrer en contact avec un vaisseau de lumière ! Ce n'est pas de la sottise mais de l'intrépidité que de chercher à voir des petits bonshommes ! Et ce n'est pas de la démence mais de la chance que de vouloir se balader sur la lumière !

La conscience et l'énergie sont les clés qui ouvrent toutes les portes de la réalité. L'inconnu est la plus grande des aventures. Il éclipse absolument tous ces vaisseaux et leurs occupants. C'est précisément vers l'inconnu qu'ils se dirigent. Il est autant à votre portée qu'à la leur. Il suffit d'un instant de réalisation.

Je vous l'assure, l'inconnu n'a rien d'ennuyeux. Ce n'est pas mal de vouloir participer à tout cela et de vous instruire sur le sujet. (Souvenez-vous, les victimes s'attirent toujours une tyrannie égale à l'énergie qu'elles mettent à se

155

prendre pour des victimes. C'est ce qui détermine le pouvoir de leur tyran !) L'expérience que vous susciterez sera toujours égale à ce que vous aurez créé en conscience.

Vous avez le droit de comprendre ces entités, ces aliénigènes. En apprenant l'amour, vous transcendez tout. Cette indomptable, ravissante, captivante, inexorable, dominante et indépendante essence qu'on appelle l'amour peut même amener des êtres de différents mondes à se rencontrer. L'amour est à la conscience ce que le sang est à la vie.

Apprendre l'amour de soi et faire croître votre divinité vous donnent le droit d'aimer les autres, d'accéder à tout un univers d'entités pas tellement différentes de vous. Seules votre ignorance et votre volonté de rester dans l'ignorance vous séparent d'eux.

Vos actes passés sont sans importance. L'important, c'est ce que vous avez été et ce que vous êtes. Personne ne vous aimera jamais autant que vous le ferez vous-mêmes à travers tous les voiles.

La lecture de ce livre vous permettra d'ériger des ponts qui vous conduiront vers des aventures merveilleuses et excitantes. Car vous aurez créé un magnétisme dont la portée dépasse non seulement l'horizon, mais également le Soleil et l'étoile Polaire.

Il se produit des choses étonnantes quand il y a inversion de votre énergie.

Cette inversion d'énergie n'a pas lieu quand on tient à avoir un «passé» et qu'on traîne avec soi son histoire. Elle survient quand on transcende le passé, qu'on devient un adepte pleinement participant du maintenant et qu'on dégage la sorte d'énergie qui prend sa source dans le présent, dans l'éternité. Tant que vous maintiendrez ce flot d'énergie, vous serez dans l'éternité et des merveilles en découleront.

La maladie disparaîtra. La joie entrera dans votre vie. Les fleurs commençant à éclore, les abeilles donneront du miel.

Quand vous aurez assimilé pleinement cette information, votre vie changera et se remplira. Vous n'aurez plus à creuser sous chaque roche pour trouver la vérité. Vous comprendrez qu'elle est en vous. Et vous ne chercherez plus le bonheur hors de vous; vous saurez qu'il est en vous.

Mesdames, vous n'aurez plus à chercher quelqu'un pour prendre soin de vous. Vous comprendrez que la véritable sécurité réside en vous.

Et vous, messieurs, vous n'aurez plus à vous percevoir uniquement comme des pourvoyeurs. Vous n'aurez plus besoin d'utiliser la force pour faire valoir votre autorité et flatter votre ego altéré. Vous serez enfin capables de dire que Dieu — le plus grand ego qui soit — est en vous.

Et quelle est la rétribution de ce voyage intérieur ? Enfin la joie, je me plais à vous le redire.

Qu'il en soit ainsi !